Initiation à la littérature française

Thérèse Desqueyroux

Mauriac

Joe Jannetta

Initiation à la littérature française

Thérèse Desqueyroux

Mauriac

Livret de soutien

Joe Jannetta

Hodder & Stoughton

A MEMBER OF THE HODDER HEADLINE GROUP

Orders: please contact Bookpoint Ltd, 39 Milton Park, Abingdon, Oxon OX14 4TD.
Telephone: (44) 01235 400414, Fax: (44) 01235 400454. Lines are open from 9.00–6.00,
Monday to Saturday, with a 24 hour message answering service.
Email address: orders@bookpoint.co.uk

British Library Cataloguing in Publication Data
A catalogue record for this title is available from The British Library

ISBN 0 340 77210 7

First published 2000
Impression number   10 9 8 7 6 5 4 3 2 1
Year   2005 2004 2003 2002 2001 2000

Typeset by Transet Limited, Coventry, England.
Printed in Great Britain for Hodder & Stoughton Educational, a division of Hodder
Headline Plc, 338 Euston Road, London NW1 3BH by Redwood Books, Trowbridge,
Wiltshire.

TABLE DES MATIÈRES

Mauriac

INTRODUCTION

Dans cette étude vous aurez déjà trouvé une table des matières où sont signalées les différentes sections dont l'étude est composée. Pour vous familiariser avec l'intrigue et pour vous aider à bien comprendre les divers aspects du roman vous trouverez pour chaque chapitre un simple résumé des événements, puis un résumé avec commentaire et finalement un commentaire sur les thèmes traités dans le chapitre. Pour vous permettre de bien suivre le déroulement du texte, de nombreux exercices vous sont proposés.

Ceux et celles qui ont choisi de présenter un texte littéraire à l'épreuve à l'oral trouveront dans la section « Questions à préparer pour l'épreuve à l'oral », à la page 51, un grand nombre de questions sur les divers aspects du roman.

En ce qui concerne la méthode de travail que vous choisirez, cela dépend, bien sûr, de vous. Pour vous aider à commencer, voici des suggestions.

■ Lire les trois premières sections de l'étude, surtout « L'introduction au roman » et « Thèmes principaux ».
■ Lire le roman en entier en évitant de consulter le dictionnaire trop souvent. Servez-vous néanmoins du « Vocabulaire de base » pour chaque chapitre. Ce sont des mots et des expressions difficiles ou spécialisés. Si nécessaire, consultez les simples résumés. L'objectif de cette première lecture est l'acquisition d'une vue d'ensemble.
■ Faire le petit test, « Testez votre mémoire », à la page 53.
■ Lire le roman une deuxième fois mais après ou même avant la lecture de chaque chapitre lire les résumés et les commentaires. Puis faites les exercices du chapitre que vous venez de lire.
■ Contrôler votre travail en consultant les réponses aux exercices à la page 55.
■ Relire le roman d'un trait.
■ Ecrire les réponses aux questions dans la section « Tâches basées sur les chapitres » à la page 47. Un court paragraphe suffira généralement.
■ Repérer les sections de chaque chapitre qui traitent des thèmes précisés dans la section « Repérage des thèmes par chapitre » à la page 46. Cela vous donnera l'occasion de tester votre mémoire et de noter les citations textuelles dont vous aurez besoin pour les rédactions que vous aurez à faire. Attention! Une citation ne doit pas être trop longue. Une ou deux phrases suffisent.

La vie et l'œuvre de François Mauriac

1885 Naissance à Bordeaux - il est le cinquième et dernier enfant de Claire et Jean-Paul, famille bourgeoise d'origine à la fois paysanne et commerçante.

1887 Mort de Jean-Paul Mauriac, père de François.

1892 A l'école des Marianistes (membres de la société de Marie).

1896 Première communion: « date éternelle pour moi ».

1898 Entrée au collège Grand-Lebrun, à Candéran, chez les frères de Marie.

1904 Prépare la licence de lettres à la faculté de Bordeaux.

1905-6 Licence de lettres suivie de la préparation d'une thèse sur « Les origines du franciscanisme en France ».

1906 Prépare à Paris l'Ecole nationale des Chartes (forme des archivistes-paléographes).

1908 Reçu à l'Ecole des Chartes mais démissionne dans la même année. Commence à écrire.

1911 Recueil de poèmes: *L'adieu à l'adolescence*.

1913 Mariage avec Jeanne Lafont. Son premier roman, « L'Enfant chargé de chaînes » paraît chez Grasset (éditeur français).

1914-18 Première guerre mondiale

1914 Engagé en août comme auxiliaire du Service de Santé.

1917 A Salonique - hospitalisé puis repatrié.

Œuvres publiées entre les deux guerres :

1920 *La Chair et le sang*, roman.

1922 *Le Baiser au lépreux*, roman.

1923 *Le Fleuve de feu et Génétrix*, roman.

1924 *Le Désert de l'amour*, roman.

1927 *Thérèse Desqueyroux*, roman.

1932 *Le Nœud de vipères*, roman.

1933 *Le Mystère Frontenac*, roman.

1935 *La Fin de la nuit*, roman.

1936 *Les Anges noirs*, roman.

1938 *Asmodée*, pièce de théâtre.

1939-45 Seconde guerre mondiale Occupation de la France par les forces allemandes 1940–1944.

1941 *La Pharisienne*, roman.

1942 Participation à la presse clandestine.

1944 *Le Figaro* publie son premier éditorial – première rencontre avec le général De Gaulle.

1947 Collaboration au *Figaro*.

1951 *Le Sagouin*, roman.

1952 Prix Nobel de la littérature.

1953 Collaboration hebdomadaire à *L'Express* (Bloc-Notes).

1959-60 *Mémoires intérieurs*.

1964 *De Gaulle*, biographie.

1970 Mort de François Mauriac.

Introduction au roman

Les événements de ce roman ont lieu dans le paysage des landes dans le sud-ouest de la France qui se caractérise par ses forêts de pins et ses sols sablonneux et qui semble exercer une influence sur les personnages du roman. Ceux-ci sont nés dans la bourgeoisie landaise, propriétaires de forêts de pins, de vignobles et de fermes et dont la grande ambition est d'agrandir leurs possessions. Thérèse Larroque et Bernard Desqueyroux sont les protagonistes. Ils sont héritiers de milliers d'hectares de pins qui produisent une résine (la gemme) et qui fournit la térébenthine. Leur mariage a eu lieu à peu près un an et demi avant le début du roman et ils ont une fille qui s'appelle Marie. Pour des raisons qui sont révélées au cours du roman, Thérèse empoisonne son mari. Tout au début du roman Thérèse sort du palais de justice où le juge d'instruction a déclaré un non-lieu et, pour le moment, Thérèse ne sera pas poursuivie en justice.

La vie de Thérèse, avant son retour à la maison après le non-lieu, est relatée sous forme de retours en arrière. En effet dès les premières pages « le crime » de Thérèse est révélé indirectement. Au cours des huit premiers chapitres, que ce soit dans la voiture qui l'emmène à la gare de Nizan ou dans le train, Thérèse réfléchit aux événements passés dans une tentative de comprendre ses actions.

Intelligente, passionnée, indépendante, Thérèse trouve dans ce retour en arrière un être qui, à bien des égards, lui est étranger et, à certains égards, même répugnant. Il s'agit, dans la deuxième moitié du roman, de la résolution du destin de Thérèse. Et c'est ce qui tient le lecteur en suspens.

Thèmes principaux

Le drame, concernant le crime et les souffrances de Thérèse, constitue le sujet du livre. Cependant plusieurs thèmes figurent dans le roman dont voici quelques-uns:

- la famille bourgeoise, ses conflits et ses tensions
- la révolte contre la famille et les institutions répressives
- le rôle du mariage
- l'isolement intellectuel et émotionnel
- la société patriarcale
- la soumission de la femme
- l'émancipation féminine
- l'honneur et l'esprit de famille
- l'antisémitisme
- les préjugés et l'hypocrisie de la bourgeoisie
- le catholicisme
- le paysage des landes
- la chasse

- l'évolution de Thérèse
- l'évolution de Bernard

Mauriac – romancier catholique

Tout d'abord il faut signaler que François Mauriac est né au sein d'une famille catholique. Il a reçu une éducation catholique chez les Frères maristes. Sa mère l'a élevé dans la foi chrétienne. Cette foi a toujours joué un rôle primordial dans sa vie et dans ses œuvres. Cela ne veut pas dire qu'il n'ait pas eu de conflit. En effet au cours des années vingt il a été plongé dans une grave crise spirituelle. Il a souffert d'un grand abandon de la part de Dieu. Il semble s'en être sorti en 1931.

Il devait toujours affronter un problème que beaucoup d'autres romanciers ont connu. Etait-il possible d'écrire des romans qui ne risquaient pas de ressembler à des tracts catholiques? Il rejetait la description de « romancier catholique », et préférait celle d'« un catholique qui écrit des romans ». (Dans ses grands romans il semble se classer tout à fait dans la deuxième de ces catégories, c'est-à-dire, c'était un catholique qui écrivait des romans.)

Il est difficile, sinon impossible, de prétendre que, dans ce roman, l'auteur fasse de la propagande pour le catholicisme. Il y décrit une société et des personnages pour lesquels le catholicisme figure comme un des aspects, parmi d'autres, de leur vie quotidienne. De plus, Mauriac ne prétend pas, lui, que ses personnages soient meilleurs à cause de la religion qu'ils pratiquent. Tout au contraire, car souvent ils font des choses mesquines au nom de cette religion.

LES PERSONNAGES

Thérèse Desqueyroux

Bernard Desqueyroux, son mari

Marie, leur fille

M. Larroque, père de Thérèse

Mme de la Trave, mère de Bernard

M. de la Trave, mari de Mme de la Trave

Anne, fille de M. de la Trave

Jean Azévédo

Tante Clara, tante de Thérèse

Le docteur Pédemay

L'avocat Duros

Balion et Balionte, domestiques de Bernard Desqueyroux

Le fils Deguilhem

5

LIEUX MENTIONNÉS

Bordeaux

Saint-Clair

Argelouse

Vilméja

VOCABULAIRE UTILE

noter *to note*
analyser *to analyse*
commenter *to comment (on)*
le contexte *the context*
comparer *to compare*
la comparaison *comparison*
critiquer *to criticise*
l'aspect (*m*) *aspect*
l'élément (*m*) *element*

l'écrivain (*m*) *writer*
l'auteur (*m*) *author*
le genre *type of literary work (e.g. novel)*
l'ouvrage (*m*) *work (i.e. one book)*
le chef d'œuvre *masterpiece*
le romancier/la romancière *novelist*

le roman *novel*
romanesque *pertaining to the novel (e.g. la technique romanesque)*
le texte *text*
le titre *title*

le chapitre *chapter*
le paragraphe *paragraph*
la phrase *sentence*
l'expression (*f*) *phrase*
le vocabulaire *vocabulary*
le langage *type of language used (e.g. un langage poétique)*
le style *style*
le passage *passage*
le résumé *summary*
la structure *structure*
citer *to quote*
la citation *quotation*

le but *aim*
le lien *link*
le rapport *relationship*
le sujet *subject*
le thème *theme*

le sens *sense, meaning*
signifier *to mean*
l'idée principale *main idea*
le milieu *setting*
l'ambiance (*f*) *atmosphere*
le décor *scenery*
le narrateur/la narratrice *narrator*
l'idée de départ *initial idea*
traiter de *to deal with*
il s'agit de *it is about*
le scénario *situation*

le personnage *character (i.e. individual)*
le caractère *character (i.e. personality)*
le héros *hero*
l'héroïne *heroine*
le portrait *portrait*
le trait *characteristic*
typique *typical*
le comportement *behaviour*

suivre *to follow*
l'histoire (*f*) *story*
l'intrigue (*f*) *plot*
introduire dans l'intrigue *to give new impetus to the plot*
l'épisode (m) *episode*
le dénouement *outcome*
le retour en arrière *flashback*
la discussion *discussion*
le dialogue *dialogue*

la tonalité *tone*
décrire *to describe*
la description *description*
représenter *to portray*
peindre *to paint*
évoquer *to evoke*
exprimer *to express*
clair (claire) *clear*

clairement *clearly*
raconter *to tell, recount*
le détail *detail*
observer *to observe*
le réalisme *realism*
l'objectivité (*f*) *objectivity*
objectif/objective *objective*
subjectif/subjective *subjective*
imaginaire *imaginary*
authentique *authentic*
réel (réelle) *real*
irréel (irréelle) *unreal*
vraisemblable *believable*
invraisemblable *improbable*

conscient *aware*
mettre en valeur *to highlight*
mettre en relief *to bring out*
par contraste *by contrast*
l'émotion (*f*) *emotion*
émouvant *moving*
dramatique *dramatic*
réagir *to react*
la réaction *reaction*
le sentiment *feeling*
sensible *sensitive*
la sensibilité *sensitivity*
triste *sad*
la tristesse *sadness*
le mobile *motive*

CHAPITRE I

Vocabulaire de base

une déposition déclaration d'un témoin, témoignage

une dérogation l'action de transgresser une loi

l'instruction le moment de la procédure pénale où le juge d'instruction prépare une affaire pour qu'elle puisse être jugée. Il recherche des preuves d'un crime commis

un non-lieu décision du juge d'instruction de ne pas poursuivre une affaire en justice

un préfet fonctionnaire à la tête d'un département ou d'une région

une sous-préfecture ville où réside le sous-préfet

Dans le premier chapitre on est plongé dans l'intrigue au moment où Thérèse sort du palais de justice après l'instruction concernant l'empoisonnement de son mari, Bernard. Comme le lecteur/la lectrice voit nécessairement tout à travers les pensées de Thérèse, il peut y avoir de la confusion. D'ailleurs Thérèse ne se force pas à y mettre de l'ordre. Par moments, il y a des références à des événements qui ne sont pas immédiatement claires. Vu l'état d'âme de Thérèse, ses pensées et ses souvenirs semblent parfois désordonnés. Par la suite tout deviendra clair, car au cours de son voyage à Argelouse, c'est-à-dire au cours des huit premiers chapitres, Thérèse s'efforce de mettre de l'ordre dans ses idées. Qui plus est, elle se croit obligée de chercher les mobiles de son crime, et en même temps, désire trouver les moyens d'obtenir le pardon de Bernard.

Simple résumé

Le tribunal a déclaré un non-lieu concernant le crime de Thérèse. Thérèse avait tenté d'empoisonner son mari, Bernard. Celui-ci n'a pas accusé sa femme au cours de l'instruction. M. Larroque, le père de Thérèse, et l'avocat Duros qui l'ont attendue devant le palais de justice, l'accompagnent à la gare de Nizan où elle prendra le train pour Saint-Clair, puis la carriole pour Argelouse.

  C'est un soir d'automne dans la sous-préfecture de la région. Thérèse sort du palais de justice. Son père l'attend sur la place. L'avocat Duros annonce le non-lieu. Bernard a annoncé qu'il n'avait pas compté les gouttes d'arsenic. Thérèse traverse la place entre son père et l'avocat. Ils la poussent du coude. Elle demeure en arrière. Elle entend des fragments de la conversation des deux hommes. On apprend que le docteur Pédemay, qui avait traité Bernard, avait retiré sa plainte concernant la fausse ordonnance. M. Larroque sait qu'il y a beaucoup à faire pour étouffer le scandale. Thérèse pense à sa grand-mère qui a disparu. Elle était partie à cause d'un scandale. Thérèse est consciente de l'attention du cocher qui va la prendre à la gare de Nizan. Thérèse pense à son mari et à l'histoire qu'ils ont recomposée pour donner l'impression d'être une famille unie. Elle imagine son arrivée à Argelouse et pense à leur vie ensemble. Ils seront des étrangers l'un envers l'autre. Elle est prise de panique. Elle dit qu'après quelques jours elle ira vivre avec son père. Celui-ci lui répond qu'elle doit rester avec son mari et qu'ils devront reprendre leur vie normale. Thérèse comprend qu'elle doit se soumettre aux désirs de son père.

Résumé avec commentaire

Les deux hommes font semblant d'ignorer Thérèse. Son père est mécontent parce que les actions de sa fille lui ont presque coûté son avenir politique. Tout scandale peut nuire à tous les membres de la famille.

  C'est le crépuscule d'un jour d'automne et les feuilles de platane collées aux bancs trempés de pluie semblent être le reflet de l'état d'âme de Thérèse. Alors que M. Larroque se félicite d'un résultat favorable pour lui, Thérèse est plongée dans ses pensées. Elle revoit la figure de Bernard au cours de l'instruction puis elle se demande comment il l'accueillera. Elle dit à l'avocat qu'elle partira de la maison d'Argelouse pour vivre avec son père. Celui-ci la coupe court en lui disant assez brutalement qu'elle doit agir comme si de rien n'était pour démentir les bruits qui courent.

Commentaire sur les thèmes

La société patriarcale

Nous voyons déjà dans ce premier chapitre le pouvoir et la domination des hommes dans cette société. C'est leur vie, leur carrière qui comptent.

La soumission de la femme et l'honneur de la famille

M. Larroque dit à sa fille que, pour l'honneur de la famille, elle doit se soumettre à toutes les conditions qu'on va lui imposer. Il n'est pas question d'échapper à la situation malgré ses émotions.

L'hypocrisie

Les manœuvres de M. Larroque et de l'avocat pour étouffer un scandale paraissent mesquines. Les émotions de Thérèse lui confèrent une dignité et une supériorité, ce qui est aussi indiquée dans le texte par la description.

L'isolement émotionnel et intellectuel

Le contraste entre Thérèse et les hommes est frappant. Elle est
physiquement plus grande qu'eux. Isolée et méprisée par ces deux hommes
intrigants, préoccupés par leurs ambitions, elle semble, pour le moment,
moralement supérieure.

Exercices de compréhension

A Après avoir bien lu le premier chapitre donnez les détails suivants.

1 L'endroit d'où sort Thérèse au début du chapitre ...
2 Le temps qu'il fait ...
3 L'attitude de M. Larroque et de M. Duros envers Thérèse ...
4 Ce que pense Thérèse concernant la réunion avec son mari ...
5 Les facteurs qui ont contribué au non-lieu ...
6 L'état d'esprit de Thérèse ...
7 Les manœuvres de M. Larroque pour étouffer un scandale ...
8 Ce que devra faire Thérèse pour garder les apparences ...

B Dites si les constatations sont vraies (V) ou fausses (F).

1 Thérèse a l'impression qu'elle est ignorée des hommes.
2 Le cocher est indifférent à Thérèse.
3 M. Larroque tient absolument à ce que Thérèse et Bernard sauvent les
   apparences.
4 Thérèse sera libre de faire ce qu'elle veut une fois réunie avec son
   mari.
5 M. Larroque se sent incapable d'étouffer le scandale concernant
   l'empoisonnement de Bernard.
6 Julie Bellaye était la mère de Thérèse.
7 Thérèse doit se soumettre aux désirs de son père.
8 Dans ce chapitre Thérèse est optimiste en ce qui concerne son avenir.

C Dans la liste suivante choisissez les phrases qui indiquent :

1 que Thérèse est isolée.
2 que M. Larroque est gêné par sa fille.

a Un homme, dont le col était relevé, se détacha d'un platane.
b Son père ne l'embrassa pas, ne lui donna même pas un regard.
c ... les deux hommes ... discutaient comme si elle n'eût pas été présente.
d ... elle aurait pu choir au bord du chemin.
e Devrait-elle, toute sa vie, être aussi dévisagée ?
f « J'ai tant souffert ... je suis rompue ... » puis s'interrompit: à quoi bon parler ?
g Il ne l'écoute pas; ne la voit plus.
h Heureusement, elle ne s'appelle plus Larroque; c'est une Desqueyroux.

CHAPITRE II

Simple résumé

Dans la voiture, en route pour la gare de Nizan, Thérèse pense aux étapes du voyage à Argelouse. Elle ne veut pas y arriver, préférant être délivrée par quelque désastre. La description assez détaillée de son visage expose son état d'esprit et son état physique. Elle est visiblement épuisée.

Elle se demande quelles seront les premières paroles de Bernard. Pourtant elle ne veut rien prévoir. Elle s'endort. Dans un cauchemar elle revoit le juge d'instruction qui l'interroge à propos de l'ordonnance disparue. Il lui demande si elle l'a laissée dans la poche intérieure de sa vieille pèlerine. Il récite la formule de l'ordonnance. Elle revoit la liste des poisons. Thérèse s'éveille. Elle se rend compte que le non-lieu n'est pas encore officiel. Elle devient consciente qu'elle est libre. Elle va se dévouer complètement à Bernard. Pendant le voyage elle préparera une confession dans laquelle elle lui dira tout. Elle pense à son amie d'enfance Anne de la Trave. Anne lui décrivait la délivrance qu'elle éprouvait après avoir confessé ses péchés. En disant tout à Bernard elle aussi sera délivrée du poids de son crime. Mais elle ne comprend ni son crime ni ce qui l'a poussée à le commettre.

A la gare de Nizan, elle est encore gênée par le regard du cocher. Elle doit y attendre la formation du train. Elle se rappelle ce temps où, à la période des grandes vacances ou de la rentrée, elle et Anne mangeaient à l'auberge. Anne l'aidera à expliquer ses actions à Bernard. Puis elle, Thérèse, lui dira tout. Bernard la pardonnera et reconnaîtra son dévouement. Mais pour lui faire comprendre ce qu'elle a fait elle devra remonter au commencement. Elle décide de commencer par son enfance.

Au lycée elle était très bonne élève. Ses maîtresses la considéraient comme un modèle pour ses camarades. Elle était pure, un ange, mais un ange avec des passions. Thérèse taquinait Anne qui allait au couvent. Celle-ci avait besoin de cadeaux pour rester pure. Thérèse aimait la vertu.

Dans le petit train qui démarre, Thérèse sait qu'il faut commencer par les beaux jours d'été pendant les grandes vacances passées en compagnie d'Anne. Elle était heureuse. A présent elle se sent perdue. Cette transition, imperceptible d'abord, semble s'accélerer comme le train. Elle se demande si elle a assez de temps pour préparer ce qu'elle va dire.

Résumé avec commentaire

Thérèse a horreur de sa propre personne mais en se réveillant en sursaut, se console de la possibilité d'une réunion heureuse, d'une réconciliation avec Bernard. Le souvenir de son crime, comme une douleur, ne la quitte pas. Elle croit toujours à la compréhension de Bernard. Mais elle sait aussi que Bernard ne comprendra son crime que si elle remonte au commencement, à son enfance. Au lycée c'était une élève parfaite. Elle se rend compte du contraste entre ce qu'elle était et ce qu'elle est devenue.

Commentaire sur les thèmes

Le catholicisme

Dans ce chapitre il s'agit surtout de l'examen de conscience de la part de Thérèse. Elle sait qu'il est nécessaire de préparer sa défense, de se confesser. Dans l'église catholique une confession est faite en privé à un prêtre. Si le pécheur fait un vrai acte de contrition, c'est-à-dire s'il regrette sincèrement sa faute, il reçoit l'absolution. Il est pardonné par le prêtre. Thérèse n'est pas croyante. Donc la confession et l'absolution dans le sens religieux lui sont impossibles. De plus, Thérèse ne comprend pas ses crimes. Elle sent qu'une puissance incontrôlable, dont elle a peur, a agi malgré elle. Le contraste entre elle et Anne est important aussi bien que le paradoxe qui en résulte. La pureté et la vertu étaient des qualités qu'enfant Thérèse épousait sans aucune contrainte. Pourtant Anne, la croyante, élevée par les sœurs du Sacré-Cœur, était vertueuse en raison de son éducation. C'est pourtant Thérèse qui a commis un crime monstrueux.

Exercices de compréhension

A Trouvez dans la description de Thérèse vers le début du chapitre, « Thérèse cède ... livre son corps aux cahots », les adjectifs qui correspondent aux mots et expressions suivants :

1 très pâle
2 agitée fortement en sens contraires
3 amaigries

B Dans le paragraphe « Va en paix ... mon pouls si agité », repérez les mots et expressions qui décrivent les symptômes de la maladie de Bernard.

C Donnez les renseignements requis à propos du voyage de Thérèse.

- l'heure
- la route
- les moyens de transport
- les personnes mentionnées

D Complétez les phrases suivantes selon le sens du texte.

1 Elle détestait fumer ...
2 Thérèse avait peur qu'on trouve ... dans la poche de sa vieille pèlerine.
3 Elle voulait dire tout à ...
4 Bien que Thérèse ne fût pas belle elle avait du ...
5 A l'auberge Anne et Thérèse mangeaient ...
6 Dans son imagination Thérèse pensait que Bernard la ...
7 Au lycée Thérèse jouissait du ... qu'elle causait.
8 Selon Thérèse, Anne ignorait ...

CHAPITRE III

14

Vocabulaire de base

la lande étendue de terre inculte et stérile où poussent des plantes sauvages comme la fougère et la bruyère

mal léché une personne de manières grossières

Simple résumé

Dans la première partie du chapitre (« ... moins curieux des jeunes filles que du lièvre qu'il forçait dans la lande. ») nous apprenons plusieurs faits concernant le paysage des landes et les personnages du roman. Argelouse, où se trouvent les métairies des Larroque et des Desqueyroux, est un hameau isolé des landes (« une extrémité de la terre »). Les ancêtres des deux familles étaient des bergers. Jérôme Larroque est conseiller-général et maire d'un petit bourg où il a sa résidence principale. C'est à Argelouse où Thérèse, lycéenne, passait les grandes vacances avec sa tante Clara, la sœur de M. Larroque. Bernard Desqueyroux avait hérité de son père une maison à Argelouse voisine de celle des Larroque. Il y allait à l'ouverture de la chasse à la palombe. Une alliance entre Thérèse et Bernard était avantageuse vu la proximité de leurs propriétés et, selon Mme de la Trave, M. Larroque « pourrait le servir », c'est-à-dire Bernard. Bernard était typique des propriétaires du pays. Il était attaché à la lande et il a gardé les manières et le patois de ses métayers.

Dans la deuxième partie (« Pourtant ce n'est pas lui ... cette jeune fille un peu hagarde »), Thérèse, toujours dans le train, pense à cette période de sa vie où, elle et Anne de la Trave, la demi-sœur de Bernard, passaient ensemble des journées entières à Argelouse pendant les grandes vacances. Thérèse évoque la chaleur et les bruits. Elle se rappelle la maison et tante Clara. Elle décrit un épisode qui montre comment Anne aime la chasse.

Thérèse cherche des raisons pour savoir pourquoi elle a épousé Bernard. Mme de la Trave ne doutait pas qu'elle l'adore. Malgré les inconvénients – elle fumait trop, les idées politiques de son père, le scandale concernant sa grand-mère – les avantages l'emportaient de beaucoup. Elle apporterait une fortune. Pour sa part Thérèse n'est pas du tout certaine. Elle voulait avoir Anne comme belle-sœur. Elle voulait ajouter les mille hectares de pins de Bernard aux siens. Elle aurait sa place dans la société. Vers la fin du chapitre elle se rappelle une promenade dans une forêt de pins qu'elle a faite avec Bernard juste après leurs fiançailles. Ils sont passés à côté de la métairie de Vilméja, la propriété de la famille Azévédo.

Résumé avec commentaire

15

Dans le petit train qui approche de Saint-Clair, où elle prendra la carriole pour accomplir la dernière étape vers Argelouse, Thérèse évoque son passé avec plus de précision. D'abord c'est Argelouse, qui n'a ni église ni maisons, ne consistant qu'en quelques métairies et qui est situé dans un paysage marécageux. Thérèse se demande pourquoi elle s'est mariée avec Bernard Desqueyroux qui s'intéressait plus à la chasse qu'aux jeunes filles. Pourtant, il était plus fin que les autres garçons de son milieu. C'est peut-être à cause de ses mille hectares de pins car, un vrai enfant des landes, elle voulait agrandir sa propriété. Elle évoque les jours heureux passés avec Anne de la Trave à Argelouse où sa tante Clara, vieille fille sourde, gâtait les deux jeunes filles. Comme elle approche de Saint-Clair, elle se rend compte que ce bonheur était passager.

Commentaire sur les thèmes

Le paysage des landes

L'auteur nous donne une image assez précise du paysage des landes. En même temps il réussit à nous transmettre les sentiments ambigus qu'éprouve Thérèse. D'un côté c'est l'isolement – « Argelouse est réellement l'extrémité de la terre. » De l'autre côté c'est le cadre des moments heureux de sa vie où elle avait passé les grandes vacances avec Anne. C'est aussi la source de sa prospérité et de celle de Bernard. Mauriac décrit ce paysage non pas avec amour mais certainement avec la précision de celui qui le connaît intimement.

La famille landaise

Le mariage parmi la bourgeoisie landaise est lié à la propriété. « Argelouse la rapprochait de ce Bernard Desqueyroux qu'elle devait épouser un jour, selon le voeu des deux familles. » Thérèse comme propriétaire n'était pas opposée à cette alliance. « Les deux mille hectares de Bernard ne l'avaient pas laissée indifférente. »

L'antisémitisme

Il apparaît au cours de la conversation entre Bernard et Thérèse juste après leurs fiançailles. En passant devant la propriété des Azévédo, Bernard fait des observations sur l'origine juive de la famille Azévédo : « ils jurent leurs grands dieux qu'ils ne sont pas d'origine juive ... mais on n'a qu'à les voir. »

Exercices de compréhension

A **Répondez à ces questions.**

1 Quelle était l'occupation des aïeux des Larroque et des Desqueyroux ?
2 De qui Bernard avait-il hérité la maison à Argelouse ?
3 Pourquoi Bernard ne s'installait-il pas à Argelouse avant le mois d'octobre ?
4 Notez les détails concernant les études de Bernard.
5 Qu'est-ce qui indique que les goûts de Thérèse et d'Anne n'étaient pas pareils ?
6 Quelle a été la réaction de Thérèse quand Anne a tué l'alouette ?
7 Selon Mme de la Trave, quels sont les défauts de Thérèse ?
8 Quelles raisons Thérèse avance-t-elle pour expliquer pourquoi elle a épousé Bernard ?

B **Relevez les mots et expressions qui:**

1 décrivent l'isolement d'Argelouse dans la section « Argelouse est réellement ... les brebis ont une couleur de cendre. »
2 évoquent la chaleur dans la section « Pourtant ce n'est pas lui ... Des milliers de mouches s'élevaient des hautes brandes. » et dans la section « Même au crépuscule ... bête étendue. »

C **Complétez ces phrases avec un mot ou une expression convenable choisi dans la liste qui suit.**

1 Jérôme Larroque est homme ... .

2 Victor de la Trave était ... quand la mère de Bernard l'a épousé.

3 Bernard voulait vivre de ses ... efforts.

4 Bernard était respecté de ses ... .

5 Bernard semblait s'intéresser plus à la ... qu'aux jeunes filles.

6 Anne ne partageait pas les ... de Thérèse.

7 La passion d'Anne pour la chasse était ... à Thérèse.

8 Bernard avait peur que la cigarette puisse ... à la forêt de pins.

9 Bernard ... les Azévédo.

10 Anne serait une des ... au mariage de Thérèse.

mettre le feu politique méprisait pauvre demoiselles d'honneur propres goûts métayers répugnante chasse

CHAPITRE IV

Vocabulaire de base

une tare défaut physique ou psychique

Simple résumé

17

Dans la première partie (» Le jour étouffant des noces ... des drôles qui avaient bu. ») il s'agit des sensations et des émotions de Thérèse le jour de son mariage. Il a fait très chaud dans l'église ce jour-là. Thérèse n'était pas à l'aise. Plus de cent métayers et domestiques participaient aux noces. Thérèse se souvient que pendant le voyage de noces elle a feint le plaisir pendant les relations sexuelles avec Bernard. A l'hôtel à Paris, Thérèse a reçu quatre lettres de son amie Anne dans lesquelles elle parlait de son amour pour Jean Azévédo. Thérèse s'est rendu compte que c'était la grande passion et elle enviait le bonheur de son amie. A un certain moment dans l'hôtel, elle a percé d'une épingle, à l'endroit du cœur, une photo de Jean envoyée par Anne. Mme de la Trave s'opposait à une alliance entre sa fille et un Azévédo. Elle voulait que sa fille épouse le fils Déguilhem qui serait le riche héritier d'une fortune car sa famille possédait des forêts de beaux pins. Thérèse a consenti à persuader Anne de rompre ses relations avec Jean Azévédo. Vers la fin du chapitre, nous apprenons que Thérèse était enceinte. Elle a annoncé à Bernard cette nouvelle dans leur chambre d'hôtel vers la fin de leur voyage de noces.

Résumé avec commentaire

Les rêveries de Thérèse deviennent plus détaillées. Elle revoit avec précision les événements du jour de ses noces où elle avait déjà un sentiment de désespoir. Pendant le voyage de noces elle a éprouvé de la révulsion et avait le sentiment d'être l'objet plutôt que le partenaire dans les relations sexuelles entre elle et Bernard. A Paris elle a reçu quatre lettres d'Anne. Celle-ci a avoué un amour passionné pour Jean Azévédo. Anne a demandé à Thérèse de l'aider à surmonter l'opposition de sa famille au mariage avec Jean. Cependant Bernard a exigé que Thérèse fasse tout pour empêcher ce mariage car Jean Azévédo est d'origine juive. Thérèse y a consenti. Elle prétend que son amie était incapable d'échapper à la vie monotone que, elle Thérèse, savait être son propre sort. Quand Bernard a appris que Thérèse était enceinte il a commencé à lui témoigner du respect car elle portait son futur héritier.

Commentaire sur les thèmes

La famille et le mariage

En se mariant avec Bernard Desqueyroux Thérèse savait qu'elle deviendrait membre d'une famille et qu'elle devrait désormais se comporter selon ses règles. Thérèse savait aussi qu'elle devrait se soumettre au code de la famille quelle que soit son opinion. L'image de la cage qui paraît au début et vers la fin du chapitre (« Elle était entrée somnambule dans la cage et, au fracas de la lourde porte refermée soudain la misérable enfant se réveillait. » et « ... elle regardait cette cage aux barreaux monstrueux et vivants, cette cage tapissée d'oreilles et d'yeux, où, immobile, accroupie, le menton aux genoux, les bras enfermant les jambes, elle attendrait de mourir ») exprime avec force à la fois le désespoir et la résignation que ressentait Thérèse. Bernard défend absolument la famille surtout contre l'introduction d'éléments qui, selon lui, sont suspects. Il rejette sans nuancer, une alliance possible entre sa belle-sœur et Jean Azévédo. Il faut, à tout prix, l'empêcher même s'il faut gâcher le bonheur d'Anne. La famille est suprême. « Nous ne plaisantons pas sur le chapitre de la famille. » Il a reproché à Thérèse d'être allée trop loin quand elle lui a rappelé que dans le passé, des membres de leurs deux familles avaient souffert de maladies comme la tuberculose.

Le rôle du mariage

Il est évident que, dès le commencement il est attendu que Thérèse se soumette à son mari, que ce soit dans les relations sexuelles ou dans la défense des intérêts de sa famille. Cette soumission n'est pas du tout chose facile pour Thérèse. Elle qui passe pour un esprit fort et, d'ailleurs, est jugée plus intelligente que son mari, ne peut pas accepter de perdre son indépendance d'esprit. Cependant elle est enfermée dans la cage de la famille. Vers la fin de ce chapitre comme du chapitre précédent l'idée de suicide se présente à elle. « Elle imaginait la tache de son corps en bouillie sur la chaussée – et à l'entour ce remous d'agents, de rôdeurs. »

L'antisémitisme

L'antisémitisme se manifeste de nouveau quand il s'agit d'une alliance entre les Desqueyroux et les Azévédo. Thérèse signale que les « ... Azévédo tenaient déjà le haut de pavé lorsque nos ancêtres, bergers misérables, grelottaient de fièvre au bord de leurs marécages. » La réponse de Bernard est vive et brutale: « ... tous les juifs se valent ... et puis c'est une famille de dégénérés ... tuberculeux jusqu'à la moelle. »

Exercices de compréhension

A Relevez dans le premier paragraphe tous les mots et expressions qui expriment :

1 l'isolement de Thérèse
2 son désespoir
3 son malaise

B Thérèse interroge son amie, Anne, sur sa rencontre avec Jean Azévédo. Ecrivez les réponses.

19

   Thérèse: Que faisait-il quand tu l'as rencontré?
1 Anne: ....
   Th: Où vous donniez-vous rendezvous?
2 A:
   Th: Qu'est-ce qui t'attirait en lui?
3 A:
   Th: Comment s'est-il comporté avec toi?
4 A:

C Trouvez dans l'extrait « Thérèse, songeant à la nuit ... où j'eusse été rejetée, les dents serrées, froide. » les sections qui correspondent à ces affirmations :

1 Thérèse voulait faire paraître à Bernard qu'elle avait du plaisir.
2 Thérèse considérait Bernard comme un être ignoble mais elle ne le méprisait pas.
3 Thérèse trouvait extraordinaire qu'en public Bernard était si pudique et si lascif en privé.
4 Le désir changeait Bernard en sadique.
5 Il semblait à Thérèse que Bernard s'était soudain rendu compte de sa présence.

D Ecrivez la lettre (a–e) de chaque phrase ou expression sous la
   colonne appropriée.

1	2	3	4	5
L'isolement de Thérèse	L'hypocrisie de Bernard	L'honneur de la famille	La jalousie de Thérèse	L'antisémitisme de Bernard

a Dire que les étrangers voient ça.
b ... une espèce de phtisique
c Ils t'attendent comme leur salut.
d Elle connaît cette joie ... et moi ? et moi alors ? Pourquoi pas moi ?
e Au plus épais d'une famille elle allait couver.

CHAPITRE V

Vocabulaire de base

se donner les gants s'attribuer le mérite d'avoir fait une bonne action

se tenir à quelque chose comme à la prunelle de ses yeux y tenir beaucoup

les lorgnons espèce de lunettes sans branches qui consistent en deux lentilles et leur monture avec un pince-nez pour les maintenir sur le nez

la brande ensemble de plantes de sous-bois comme les fougères et les bruyères

Simple résumé

De retour dans son pays après le voyage de noces, Thérèse a vécu chez ses beaux-parents en attendant la naissance de son enfant. Il était interdit à Anne de sortir seule, car on avait peur qu'elle n'essaie de rejoindre Jean Azévédo. Malgré les remontrances de ses parents, elle refusait d'abandonner l'idée d'un mariage avec Jean. Elle l'aimait toujours passionnément. Thérèse servait d'intermédiaire entre son amie et ses parents, M. et Mme de la Trave. Elle essayait de convaincre Anne qu'un mariage avec le jeune Deguilhem ne serait pas aussi mauvais que son amie ne pensait. En même temps elle assurait Anne que Jean avait sa vie à lui et qu'il allait partir dans quelques semaines. Anne ne voulait pas lâcher prise, convaincue que l'amour de Jean était aussi fort que le sien. Cependant

Anne a consenti à partir avec ses parents, ce qui avait été proposé par Thérèse. Elle s'attendait à ce que, pendant son absence, Thérèse passe ses lettres à Jean.

Résumé avec commentaire

Comme Thérèse s'approche de Saint-Clair elle examine avec soin les événements concernant Anne et Jean Azévédo. Elle veut comprendre l'énigme qu'elle était. Elle jouait le rôle d'une jeune femme mariée et se conformait aux règles imposées par la société. Elle épousait les intérêts de ses beaux-parents chez lesquels elle habitait contre les désirs de son amie, Anne. Celle-ci était inconsolable. Elle aimait Jean Azévédo. Mais les de la Trave tenait à l'alliance avec les Deguilhem. Thérèse jouait à perfection son rôle d'intermédiaire entre Anne et ses parents. Tandis qu'elle laissait penser à Anne qu'elle allait parler à Jean et lui transmettre les lettres de son amie elle semblait vouloir en même temps empêcher la liaison entre Anne et Jean. Qui plus est elle essayait d'indiquer à Anne les avantages d'un mariage avec le jeune Deguilhem. Il semble que Thérèse ne voulait pas que son amie jouisse d'un bonheur dont elle-même, elle était privée. Vers la fin du chapitre les deux amies se trouvaient, le soir, dans le jardin. Anne parlait de Jean. Elle se rendait compte que Thérèse pleurait. Elle pensait que c'était à cause d'elle. Anne a appuyé sa tête contre le flanc de Thérèse. Elle a senti bouger quelque chose. C'était l'enfant que portait Thérèse. Comme les deux jeunes femmes rentraient, Thérèse pensait qu'elle ne voulait pas donner naissance à cet enfant.

21

Commentaire sur les thèmes

La famille

Nous voyons encore le pouvoir qu'exerce la famille sur ses membres. C'est surtout le cas lorsqu'il s'agit d'une alliance favorable. S'il est nécessaire qu'Anne sacrifie son bonheur, ainsi soit-il. Dans cette bourgeoisie landaise il est attendu que la femme remplisse ses devoirs et qu'elle appuie l'honneur et les intérêts de la famille.

L'évolution de Thérèse

Thérèse semble jouer un double jeu puisqu'elle est sur le point de décevoir son amie. Sa conduite s'explique, semble-t-il, par la jalousie qu'elle éprouve envers son amie. Celle-ci s'est déjà manifestée dans l'hôtel à Paris quand elle a percé, d'une épingle, la photo de Jean (voir chapitre 4). Il est évident que Thérèse a un fort besoin d'aimer avec passion. « Qu'il doit être doux de répéter un nom, un prénom qui désigne un certain être auquel on est lié par ce cœur étroitement. »

Exercices de compréhension

A Pour chacune de ses affirmations, choisissez si c'est vrai ou faux, puis justifiez votre choix.

1 Thérèse s'opposait aux actions des de la Trave concernant leur fille.
2 Les de la Trave obtenait des renseignements sur les relations entre Anne et Jean, de Mlle Monod, la receveuse.
3 Anne faisait la grève de la faim.
4 Selon Mme de la Trave les Deguilhem trouvaient désirable une alliance avec les Desqueyroux.
5 Pendant son absence à Biarritz, Anne voulait que Thérèse communique avec Jean.
6 Thérèse a convaincu Anne que le fils Deguilhem pourrait lui plaire.

B Après avoir lu le chapitre, complétez le résumé suivant, sans avoir recours au texte.

Les de la Trave ne voulaient pas que leur fille … avec Jean Azévédo. Ils voulaient que Thérèse … Anne de partir à Biarritz avec eux pour qu'elle … Jean. Pourtant Anne insistait pour qu'elle ne … jamais Jean. Les parents d'Anne s'attendaient à ce qu'elle … avec le petit Deguilhem. Bien qu'il … riche, aux yeux d'Anne il … déjà trop vieux.

C Pour chacune des phrases suivantes indiquez :

1 qui parle 2 de qui on parle 3 expliquez-en le sens

- Mais cette fille, c'est un tombeau.
- Je ne peux pourtant boire son jus de viande à sa place.
- Mais elle est tellement paradoxale.
- En cela, elle est bien une femme de la famille.
- Il a des lorgnons, il est chauve, c'est un vieux.
- Oui, depuis quelques jours il bouge.

CHAPITRE VI

Vocabulaire de base

trouver le joint trouver le moyen de résoudre un problème, une difficulté

bâti à chaux et à sable se dit d'une personne qui est bâtie très solidement et qui est d'une constitution robuste

un appeau un oiseau employé à la chasse à attirer d'autres oiseaux dans les filets

Simple résumé

Les réflexions de Thérèse tournent autour de la période de sa grossesse. Elle pense à ce moment où Bernard s'est plaint pour la première fois de douleurs. C'était l'ouverture de la chasse et Bernard se levait de bonne heure pour aller s'occuper des appeaux. Thérèse pense à son père qu'elle respecte beaucoup. Il est propriétaire aussi bien qu'homme politique. Il est plutôt de gauche et anticlérical. Dans la deuxième moitié du chapitre qui concerne la première rencontre avec Jean Azévédo, Thérèse parle directement au lecteur (« Je ne désirais rien alors ... »).

Résumé avec commentaire

Anne est partie avec ses parents. Thérèse se trouve dans un état de torpeur à cause de sa grossesse. Bernard lui rappelle qu'elle a promis d'aller voir Jean Azévédo pour empêcher un mariage entre lui et Anne. Quand Bernard se plaint de douleurs dans la poitrine, Thérèse lui rappelle que le cœur est la partie faible des Desqueyroux. Une nuit, en préparant du valérianate pour soulager les douleurs de Bernard, elle pense que la mixture pourrait être mortelle. Au cours de ses réflexions sur Bernard elle décrit la routine quotidienne de son mari à la période de la chasse à la palombe. Ses manières et ses actions révèlent un homme à l'état sauvage. Son indifférence à la souffrance des oiseaux qui servent d'appeaux et dont il crève les yeux pourrait nous paraître atroce. A un certain moment elle se demande comment elle va le convaincre qu'elle n'a pas aimé Jean Azévédo. Elle pense aussi que Bernard, tout compte fait, n'était pas si mal et que, pendant cette période elle ne le haïssait pas. Elle pense à son père. De loin elle l'admire mais de près elle est consciente de ses prétentions. Aux moments où il donnait ses opinions sur la démocratie, Thérèse devait lui rappeler que lui, comme elle et tous les gens de leur milieu, avaient le sens de la propriété dans leur sang. C'est un jour d'automne où elle rencontre Jean Azévédo. On est en pleine période de chasse. Thérèse décide d'aller à la palombière abandonnée, où elle était allée avec Anne pendant les grandes vacances (voir chapitre 3), et où Jean et Anne avaient rendez-vous. La palombière se trouve à un endroit où les pins avaient trop grandi et, pour cette raison, les chasseurs n'y venaient pas pour guetter les palombes. Jean venait d'en sortir. Dans la section qui suit la rencontre, Thérèse décrit ses premières impressions de Jean et rédige une partie de leur conversation. Selon Jean, il n'avait eu aucune intention d'épouser Anne. D'ailleurs, et toujours selon lui, bien qu'il fût charmé par cette jeune fille, elle n'avait éveillé en lui aucune passion. Qui plus est, il lui avait rendu un service en l'initiant à un monde de sensations. Thérèse semble avoir oublié la raison de sa rencontre avec Jean Azévédo. Elle écoute, fascinée par ce que dit ce jeune homme avide, si différent de tous les jeunes gens qu'elle avait

23

connus. Il parle de ses études à Paris, révélant à Thérèse un monde intellectuel qui l'attire.

Commentaire sur les thèmes

La politique et la religion

En ce qui concerne la politique il y a le conflit entre le conservatisme des de la Trave et le radicalisme de M. Larroque. La position prise à l'égard de l'église catholique est étroitement liée à sa tendance politique. M. Larroque est anticlérical. Mais Thérèse indique que les Desqueyroux et les Larroque ont « une commune passion » qui est la propriété. Lorsque M. Larroque « ... proclamait un dévouement à la démocratie ... » Thérèse observait que « ... le plus pauvre est propriétaire ... » et « ... n'aspire qu'à l'être davantage. » Ainsi elle révèle que tout paysan ou métayer veut devenir propriétaire et que la mise en commun des biens n'est pas acceptable. La rencontre avec Jean Azévédo et la conversation avec lui occupent plus de la moitié du chapitre.

L'évolution de Thérèse

Thérèse parle directement au lecteur dès « Je ne désirais rien alors, songe Thérèse, j'allais ... » jusqu'à la fin du chapitre. Notez que l'auteur, en ajoutant ce « songe », semble vouloir maintenir l'illusion de vraisemblance. Au début de leur entretien Thérèse reproche à Jean d'avoir voulu épouser Anne. Thérèse s'étonne de la réponse de Jean qui, semble-t-il, n'attachait pas de grande importance à cette amourette. Elle s'étonne aussi de « ...cet abîme entre la passion d'Anne et l'indifférence du garçon. » Pour Thérèse personnellement cette rencontre prendra une grande importance. Elle va commencer à prendre conscience d'un autre monde qui est séduisant et qui d'ailleurs pourrait lui être accessible. Jean qui, lui semble-t-il, fait partie de ce monde, l'impressionne par « ... sa facilité de se livrer ... » ce qui est tout à fait opposé à « ... la discrétion provinciale, du silence que chez nous chacun garde sur sa vie intérieure. » Nous voyons donc ici les premiers indices de la possibilité d'une délivrance de « la cage » (voir chapitre 4).

Exercices de compréhension

A Décrivez les personnages mentionnés dans le tableau en y écrivant des mots ou expressions choisis dans la liste qui suit.

Thérèse	
Bernard	
Tante Clara	

Jean Azévédo	
M. de la Trave	
Mme de la Trave	
M. Larroque	

1 ...critique par l'esprit de contradiction.
2 ...est pudique.
3 ...est sourd(e).
4 ...a une tendance au mysticisme.
5 ...est conservateur/conservatrice.
6 ...veut garder les apparences.
7 ...est indifférent(e) à la souffrance des bêtes.
8 ...est anticlérical(e).
9 ...est ouvert(e).
10 ...a tendance à dire des banalités.

Repérez dans le texte les sections qui justifient votre choix.

B **Relisez la description de Jean Azévédo rédigée par Thérèse puis dressez deux listes de phrases et expressions qui lui semblent être :**

1 favorables.
   et
2 défavorables.
   Exemple: (*1*) un front construit   (*2*) de trop grosses joues
Puis, justifiez votre choix.

C **De quel personnage s'agit-il?**

- ... un garçon bâti à chaux et à sable.
- ... il sentait de nouveau en lui sa jeunesse toute-puissante.
- ... Cet anticlérical se montrait volontiers pudibond.
- ... plus croyante qu'aucun de la Trave mais en guerre ouverte contre l'Être infini ...
- ... un front construit. ... les yeux veloutés de sa race.
- ... mais croyez-vous qu'elle ait rien de meilleur à attendre de sa destinée que cette souffrance ?

25

CHAPITRE VII

Simple résumé

Le fait que Bernard doit suivre le traitement Fowler, à base d'arsenic, a laissé Thérèse indifférente. A propos d'Anne il a été convenu que Jean Azévédo lui écrive une lettre disant qu'il ne veut pas l'épouser. Bernard ne croyait pas que Jean ne tienne pas à ce mariage. Les rencontres suivantes avec Jean sont racontées par Thérèse (voir chapitre 6). A part la rencontre où ils ont rédigé ensemble la lettre pour Anne, Thérèse les confond « dans un souvenir unique. » Jean a parlé de l'impossibilité d'être soi-même dans la société dont Thérèse est devenue un membre. Si on y résiste on disparaît. Evidemment Thérèse craignait ce destin. Jean lui a donné rendez-vous dans un an. Seule avec Bernard dans la maison d'Argelouse, Thérèse devenait plus consciente du silence des landes. Un soir d'octobre, le surlendemain du départ de Jean, lorsque Thérèse songeait à lui et à sa vie à Paris, Anne est arrivée à l'improviste. Elle était venue seule à pied de Saint-Clair. Elle insistait pour voir Jean, ne voulant pas croire Thérèse qui lui disait qu'il était parti. Thérèse l'a accompagnée à Vilméja où il n'y avait personne. Lorsqu'elles sont rentrées, Bernard, qui a été éveillé, a traîné sa demi-sœur dans une chambre dont il a verrouillé la porte.

Résumé avec commentaire

Bernard, qui est allé à Bordeaux consulter un médecin, est content et soulagé. Il est anémique. Il doit suivre le traitement Fowler. Thérèse éprouve un détachement à l'égard de son mari dû sans doute à ses pensées concernant sa rencontre avec Jean Azévédo. Elle improvise un plan: Jean enverra une lettre à Anne dans laquelle il lui dira qu'il ne veut pas l'épouser. Thérèse résume les cinq ou six rencontres avec Jean. Il indique que, pour la plupart, les gens de ce pays mènent une vie de mensonge. Les rares exceptions qui se libèrent, disparaissent de la mémoire des familles. Jean s'inquiète plus pour Thérèse que pour Anne. Celle-ci, une âme simple, s'y soumettra, tandis que Thérèse a une soif de sincérité et de liberté. Selon Jean il faut être à Paris pour être soi-même. A leur dernière rencontre, juste avant son départ pour la capitale, Jean donne rendez-vous à Thérèse dans un an à Paris. Lorsque, la nuit, chez elle, Thérèse décrit le silence d'Argelouse et des landes, elle semble plus consciente de son destin. Elle est en train d'imaginer la vie de Jean à Paris lorsque le chien aboie. C'est Anne de la Trave qui est venue à pied de Saint-Clair, ayant trompé la surveillance de sa mère. Thérèse se rend compte qu'Anne, malgré la lettre de Jean, l'aime toujours. En dépit de ce que dit Thérèse concernant le départ de Jean pour Paris, Anne insiste pour aller à sa maison à Vilméja. Anne est fâchée contre son amie, l'accusant de lui avoir menti. Elle prétend que Thérèse accomplit les vœux de la famille. Elle n'agit plus comme une femme indépendante. Elle l'accuse de l'avoir trahie. Dans la nuit elles vont à Vilméja. Il n'y a personne. Anne est à bout de résistance. Bernard, avec une violence qui, même dans ses souvenirs, choque Thérèse, traîne Anne dans une chambre où il l'enferme. Ce souvenir est d'autant plus pénible pour Thérèse car elle sent qu'elle sera peut-être traitée de la même façon.

Commentaire sur les thèmes

L'évolution de Thérèse

Dès le commencement du chapitre il est évident que Thérèse est à peine touchée par la nouvelle concernant le traitement de Bernard. Ceci doit en partie s'expliquer par les effets de son entretien avec Jean lors de leur première rencontre. Dans les rencontres qui suivent Jean semble achever le travail qu'il a commencé. Elle voit dans la vie à Paris que décrit Jean un monde où on peut « devenir soi-même ». En parlant de la bourgeoisie des landes, Jean lui dit: « ... vous êtes condamnée au mensonge jusqu'à la mort » et « ... il faut se soumettre à ce même destin commun; quelques-uns résistent: d'où ces drames sur lesquels les familles font silence. » Pour Thérèse ces idées suscitent à la fois l'espoir et le désespoir. Après le départ de Jean c'est plutôt le désespoir qui domine. Elle est accablée par le silence des landes. « Les gens qui ne connaissent pas cette lande perdue ne savent pas ce qu'est le silence. »

Rappelons-nous que ce sont ses réflexions dans le train et le fait qu'elle se prépare à une rencontre avec ce même Bernard. Va-t-elle pouvoir échapper à son destin et devenir elle-même ou va-t-elle être forcée de l'accepter?

Bernard

Thérèse décrit quelques aspects de la vie de Bernard qui révèlent le côté primitif de son caractère, par exemple son indifférence devant la souffrance des bêtes. « Les palombes captives se débattaient, gonflaient le sac jeté sur la table; Bernard mangeait lentement tout à la joie de l'appétit reconquis. » Puis il y a la manière brutale dont il traite sa demi-sœur avec qui il agit sans égard envers ses sentiments. C'est « ce qu'il convient de faire dans l'intérêt de la famille. »

Exercices de compréhension

A Complétez les phrases selon le sens du texte.

1 Le traitement Fowler ...
   (*a*) contient des éléments potentiellement dangereux. (*b*) consiste en substances neutres.
2 Dans sa lettre à Anne, Jean Azévédo ...
   (*a*) lui avoue son amour. (*b*) lui dit qu'il ne veut pas l'épouser.
3 Bernard pensait que Jean Azévédo ...
   (*a*) voulait épouser Anne. (*b*) ne voulait pas épouser Anne.
4 Après le départ de Jean le silence d'Argelouse ...
   (*a*) consolait Thérèse. (*b*) accablait Thérèse.
5 Anne pensait que Thérèse ...
   (*a*) l'avait trahie. (*b*) l'avait défendue.
6 Vu les circonstances Bernard s'est conduit envers sa demi-sœur ...
   (*a*) d'une manière juste. (*b*) d'une manière injuste.

B Justifiez les choix que vous avez faits dans l'exercice précédent.

C Imaginez ce qu'aurait dit Bernard si on lui posait ces questions à propos de sa conduite envers Anne à la fin du chapitre.

- Ne pensez-vous pas que ce que vous avez fait soit un peu extrême ?
- N'avez-vous pas peur de la rendre malade ?
- Son bonheur, n'est-il pas plus important que l'intérêt de la famille ?
- Ne savez-vous pas que Jean Azévédo n'a jamais eu l'intention de l'épouser ?
- Pensez-vous qu'elle consentira maintenant à épouser le jeune Deguilhem ?

CHAPITRE VIII

Vocabulaire de base

étriller frotter, nettoyer un cheval avec l'étrille

une chatterie friandise

une fougasse galette de froment cuite au four, spécialité du sud de la France

les prônes (m) discours d'un prêtre fait à la messe de dimanche

Simple résumé

Thérèse va vivre chez ses beaux-parents. D'après ce que Jean Azévédo lui a dit concernant le curé du bourg, elle commence à s'intéresser à ce jeune prêtre. Après la naissance de sa fille, Marie, elle semble s'être détachée de tout et de tout le monde. Le bébé semble préférer Anne à sa mère. Anne, qui ne souffre plus à cause de Jean Azévédo, a fait la paix avec Thérèse. Un soir, il y a un incendie de forêt. Bernard, anxieux à cause de ses pins, prend, à son insu, une double dose de son médicament. Quand, plus tard, le même soir et le danger passé, Bernard demande à Thérèse s'il a pris son médicament, elle ne l'empêche pas d'en reprendre. Elle ne dit rien au docteur Pédémay concernant la double dose d'arsenic. Après le départ du docteur, sous prétexte de trouver si le traitement est la cause de la maladie de Bernard, elle lui donne encore des gouttes du traitement Fowler. Il tombe gravement malade. Sa condition s'améliore dû, en partie, aux soins de Thérèse. Bernard se fait transporter à Argelouse pour ne pas manquer l'ouverture de la chasse à la palombe. Pourtant quelques mois plus tard son mal reprend. Mme de la Trave fait venir un docteur de Bordeaux. M. Darquey, le pharmacien, a montré au docteur Pédémay deux ordonnances falsifiées dont une contient de grandes doses de poison. On fait transporter Bernard à Bordeaux où il commence à aller mieux. On soupçonne Thérèse. Quand on la questionne, elle prétend qu'un métayer inconnu lui a demandé d'apporter son ordonnance chez le pharmacien. Toujours selon Thérèse, l'inconnu est venu chercher ses médicaments un autre soir.

29

Résumé avec commentaire

Juste avant la naissance de Marie, Thérèse pense à Jean Azévédo à qui elle a envoyé une lettre sans réponse. Elle se rend compte de l'attitude des de la Trave concernant l'enfant qu'elle portait. S'il fallait choisir entre elle et le bébé, c'est elle qui serait sacrifiée. Les ténèbres, le silence et la pluie l'oppriment. Elle vit chez ses beaux-parents dans un petit bourg. Elle prête l'attention au curé parce que Jean lui avait indiqué qu'il était différent des autres. Elle imagine en lui une âme sœur, qui souffre comme elle de l'isolement dans ce milieu fermé.

Après la naissance de sa fille elle commence à souffrir de cet isolement. Elle ne peut plus tolérer la présence de Bernard. Elle ne montre aucune tendresse à l'égard de sa fille. Quand on fait allusion à la ressemblance entre elle et Marie, Thérèse s'irrite. Au printemps et en été on a peur que les incendies n'atteignent les forêts de pins de la famille. Bernard est très inquiet et, par inadvertance, prend une double dose de son traitement.

Commentaire sur les thèmes

La famille

La famille domine de plus en plus le destin de Thérèse surtout après la naissance de Marie. « Elle apercevait les êtres et les choses et son propre corps et son esprit même, ainsi qu'un mirage, une vapeur suspendue en dehors d'elle. »

Le catholicisme

C'est à peu près à cette époque qu'elle fait attention au jeune curé du bourg dont lui a parlé Jean Azévédo. Son détachement l'intrigue. Elle assiste à ses messes. Elle est frappée par son indifférence apparente aux critiques de ses paroissiens bourgeois et bien pensants tels que Mme de la Trave. « Il est très exact, disait Mme de la Trave; il fait son adoration tous les soirs; mais il manque d'onction, je ne le trouve pas ce qui s'appelle pieux. Et pour les œuvres il laisse tout tomber. » Thérèse sent en lui une âme sœur. Elle soupçonne en lui un isolement et peut-être un désespoir qui sont proches des siens. Elle semble chercher à s'évader mais aussi à trouver autre chose. Ne témoignons-nous pas ici des premiers tâtonnements vers l'inconnu d'une Thérèse qui commence à croire en quelque chose. Se demande-t-elle peut-être si ce curé cherche, lui aussi, un monde autre que celui-ci ? Et l'a-t-il trouvé? Le jour de la Fête-Dieu Thérèse examine avec soin les actions du curé. « Thérèse dévisagea le curé, qui avançait les yeux fermés, portant des deux mains cette chose étrange. Ses yeux remuaient: à qui parlait-il avec cet air de douleur ? » Il n'est pas du tout certain qu'elle ait prémédité dans le vrai sens du terme l'empoisonnement de Bernard, bien que ses mobiles semblent apparents. Cette incertitude contribue beaucoup à l'intérêt de l'intrigue et du dénouement du roman maintenant que Thérèse doit affronter son avenir avec Bernard.

Exercices de compréhension

A Relisez le chapitre puis, sans avoir recours au texte, mettez les phrases suivantes dans le bon ordre.

1 Pendant que Thérèse était chez ses beaux-parents, elle a commencé à s'intéresser au jeune curé.
2 M. Darquey, le pharmacien, a informé le docteur Pédémay des deux ordonnances falsifiées.
3 Bernard s'est fait transporter à Argelouse pour y être à l'ouverture de la chasse à la palombe.
4 On a fait venir Thérèse à la maison des de la Trave pour sa délivrance.
5 Mme de la Trave a fait venir un médecin de Bordeaux pour examiner Bernard.
6 M. Larroque a conseillé à sa fille de prouver son innocence.

7 L'été après la naissance de Marie il y a eu une sécheresse dans la région.

8 Anxieux à cause de ses pins, Bernard a pris, sans y penser, une double dose de son traitement.

B Imaginez que Jean Azévédo a posé des questions à Thérèse sur le curé. Quelles réponses lui aurait-elle données?

1 Comment vous paraît-il ?

2 Pourquoi ses paroissiens ne sont-ils pas contents de lui ?

3 Qu'en pensez-vous? Est-il content ?

4 Qu'est-ce qui vous mène à penser ça ?

5 Qu'est-ce qui vous intéresse en lui ?

C Dites si les affirmations suivantes sont vraies ou fausses.

1 Jean a répondu à la lettre qu'il a reçue de Thérèse.

2 Thérèse trouvait toujours du charme dans le visage d'Anne.

3 Les relations entre Thérèse et Anne s'étaient refroidies.

4 La naissance de sa fille a rendu Thérèse contente.

5 Thérèse ne voulait voir aucune ressemblance entre sa fille et elle-même quand elle était bébé.

6 Thérèse a rêvé qu'elle avait mis le feu aux pins.

7 Le crime de Thérèse était entièrement prémédité.

8 L'alibi de Thérèse était convaincant.

31

D Justifiez vos choix dans l'exercice précédent en vous référant aux sections appropriées du texte.

CHAPITRE IX

Vocabulaire de base

une toque petit chapeau sans bords de forme cylindrique

Simple résumé

Thérèse est arrivée à Saint-Clair où l'attendait la carriole qui allait l'emmener à Argelouse. A part Balionte, il y avait Bernard et tante Clara. Dans la maison, Bernard a annoncé à Thérèse les conditions qui lui seraient imposées. Elle devrait les accepter si Bernard n'allait pas révéler à la justice une nouvelle preuve de sa culpabilité. Ces conditions étaient sévères. Ils s'installeraient dans la maison Desqueyroux sans la tante Clara. En principe Thérèse devrait garder sa chambre où ses repas lui seraient servis. La seule exception serait qu'elle puisse se promener dans la forêt. Tous les mois elle devrait accompagner son mari à la foire et à la grande messe du dimanche à Saint-Clair. Mme de la Trave emmènerait Marie, sa fille, dans le Midi. Une fois qu'Anne et le jeune Deguilhem étaient mariés, Bernard irait chez sa mère à Saint-Clair. On ferait savoir que Thérèse était neurasthénique et qu'elle vivait seule à Argelouse.

Resumé avec commentaire

Au cours de son voyage en train Thérèse a examiné son passé ainsi que les événements qui ont mené à son crime. Arrivée à Saint-Clair rien ne reste de la confession qu'elle a soigneusement préparée. En revoyant Bernard elle devine qu'il ne la pardonnera pas. Ce pressentiment est renforcé quand ils sont ensemble dans leur salon. Bernard a préparé une liste de conditions que lui et sa famille ont l'intention d'imposer à Thérèse. Bernard lit sa liste manifestant d'abord un manque de confiance. Si Thérèse n'accepte pas ces conditions ou si elle « disparaît », comme elle propose de le faire, Bernard « menace » de découvrir un fait nouveau. Il prétend le garder dans son secrétaire. Toutes ces conditions auront pour but de sauvegarder l'honneur de la famille et du nom Desqueyroux. Une fois qu'Anne aura épousé le petit Deguilhem, Bernard s'établira à Saint-Clair et Thérèse devra rester à Argelouse. Le bruit sera répandu qu'elle est neurasthénique pour expliquer la séparation des deux époux et l'isolement de Thérèse. Enfin Bernard triomphe de la femme qui l'a toujours intimidé. Pour la première fois Thérèse est consciente de son impuissance à agir. Elle sera étouffée lentement, prisonnière, surveillée par ses pins avec leur odeur résineuse.

Commentaire sur les thèmes

L'évolution de Thérèse

Au début du chapitre et même jusqu'au moment où Bernard joue son atout, un nouveau fait qui est censé prouver la culpabilité de Thérèse, celle-ci se croit plus forte que son mari. Mais dès ce moment critique, on voit qu'elle est vulnérable et que Bernard est triomphant. On ne doit jamais oublier que Thérèse a tenté de tuer son mari. Pourtant il est difficile de ne pas sympathiser avec Thérèse. Nous connaissons ses plus intimes pensées et nous avons du moins l'impression de la comprendre mieux que Bernard. Il est très clair qu'elle est prise dans un piège dont la seule issue, semble-t-il, sera la poursuite en justice ou la mort.

La famille

Nous voyons que la cage à laquelle elle a comparé sa situation en se mariant dans la famille Desqueyroux (voir chapitre 4) est devenue, pour ainsi dire, la dure réalité. Bernard évoque de nouveau les intérêts et l'honneur de la famille. « Je ne cède pas à des considérations personnelles. Moi, je m'efface: la famille compte seule. L'intérêt de la famille a toujours dicté toutes mes décisions. J'ai consenti, pour l'honneur de la famille, à tromper la justice de mon pays. Dieu me jugera. »

Bernard

Il est à noter que Bernard n'admet aucun autre mobile pour le crime de Thérèse que celui du gain, c'est à dire l'acquisition de la propriété de Bernard.

> Thérèse: « Alors vous croyez que c'est à cause des pins que j'ai... »
> Bernard: « Naturellement: à cause des pins ... Pourquoi serait-ce? Il suffit de procéder par élimination. Je vous défie de m'indiquer un autre mobile ... »

Cet extrait indique aussi le manque total de compréhension de la part de Bernard. Rien de tout ce que Thérèse a voulu dire à son mari pour expliquer ses actions ne changera l'état de choses. « La seule approche de cet homme avait réduit à néant son espoir d'expliquer, de se confier. Les êtres que nous connaissons le mieux, comme nous les déformons dès qu'ils ne sont plus là! »

Thérèse est prise comme une des « palombes captives » de Bernard (voir chapitre 7). Elle n'a aucun recours contre Bernard. Même son père l'a abandonnée.

> « Thérèse dit à mi-voix:
> Mon père me reste.
> Votre père? Mais nous sommes entièrement d'accord. Il a sa carrière, son parti, les idées qu'il représente: il ne pense qu'à étouffer le scandale, coûte que coûte. »

Exercices de compréhension

A **Relisez la section où il s'agit des conditions imposées par Bernard à Thérèse puis, sans avoir recours au texte, complétez-en le résumé suivant.**

Thérèse allait s'installer dans la maison (1)... . Il était interdit à (2)... de vivre avec Thérèse. Thérèse devait prendre (3) ... dans (4) ... Il lui était interdit d'aller dans les autres (5)... de la maison. Thérèse devrait accompagner son mari à la (6) ... du dimanche et à la (7) .... le premier jeudi du mois.

B **Remplissez les blancs avec un mot approprié choisi dans la liste qui suit. Attention aux accords !**

1 Comme elle s'approchait d'Argelouse, les maisons semblaient à Thérèse comme des bêtes ... et ... .
2 Bernard et Thérèse demeuraient ... dans le vestibule.
3 A cause de la surdité tante Clara se sentait ... vivante.
4 Par la serrure Clara a vu Thérèse ... devant le feu.
5 Le bras ... il a éclairé de la lampe la nuque de Thérèse.
6 Tante Clara restait ... sur la première marche de l'escalier.

Assis   accroupi   debout   couché   endormi   levé   emmuré

C Choisissez dans la liste qui suit les mots ou expressions qui décrivent le mieux la situation à la fin du chapitre de:

1 Thérèse
2 Bernard
3 Clara

Triomphant   désespéré   frustré   joyeux   triste   pieux   content de soi
vengeur   abandonné   à bout de forces   pris dans un piège

D En employant quelques-uns des mots et expressions de l'exercice précédent, écrivez un court paragraphe sur la situation des trois personnages mentionnés.

34

CHAPITRE X

Vocabulaire de base

un bagne établissement pénitentiaire ancien

Simple résumé

Thérèse n'a pas dormi cette première nuit. Elle pensait à sa situation et se demandait ce qu'elle allait faire. D'abord elle a pensé fuir. Mais elle a compris que cela serait infaisable sans aucune ressource financière. Elle serait poursuivie et alors prise comme l'assassin Daguerre qui avait été traqué et pris dans la brande. Puis elle a pensé à la preuve de sa culpabilité que Bernard prétendait avoir gardée. Elle a trouvé la vieille pèlerine et dans une poche profonde il y avait toujours le paquet de poisons qu'elle y avait caché. Elle allait choisir de se tuer. Avant de le faire elle est allée voir sa fille endormie. Puis elle est passée dans sa propre chambre. Ayant versé du chloroforme dans un verre d'eau elle était sur le point de le prendre quand Balionte est entrée pour lui annoncer que tante Clara était morte.

Résumé avec commentaire

Au cours de ce chapitre Thérèse, au comble du désespoir, décide de se tuer. Elle aurait pris le poison si Balionte n'était pas subitement entrée dans sa chambre pour lui annoncer la mort de la tante Clara. Est-ce la grâce de Dieu qui touche Thérèse au moment propice? Encouragée par les paroles de Jean Azévédo qui semblent maintenant trompeuses, elle a cru qu'elle pouvait échapper à son destin. Mais la famille l'a détruite. Bernard mentait sans doute en disant qu'il tenait la preuve de son crime. Thérèse se demande s'il a découvert le paquet de poisons qu'elle avait mis dans la vieille pèlerine. Elle le trouve dans une poche profonde du vêtement. Elle va voir sa fille pour la dernière fois, pense-t-elle. Elle baise sa petite main. Elle pleure. Dans sa propre chambre elle se demande si le néant suit la mort et s'il y a un Dieu qui puisse la détourner du suicide, qui puisse accueillir un monstre. Au moment où elle verse le chloroforme dans l'eau, Balionte entre sans frapper pour annoncer la mort de sa tante. Comme elle regarde son corps Thérèse se demande si c'est par hasard que l'on a interrompu son suicide.

Commentaire sur les thèmes

L'évolution de Thérèse et la religion

Dans ce court chapitre le destin de Thérèse se décide. Elle comprend sans le moindre doute, et sans la moindre possibilité d'aveuglement, qu'elle a été détruite par la famille :

« ... elle n'avait pas détruit la famille, c'était elle qui serait donc détruite. »

Elle se demande ce qu'elle a à faire. Faute d'argent, la fuite est irréalisable :

« Mais elle n'a pas d'argent : des milliers de pins lui appartiennent en vain : sans l'entremise de Bernard, elle ne peut toucher un sou. »

De toute façon, si elle fuyait, elle serait poursuivie et sans doute livrée à la justice. Elle pense à l'ordonnance, consistant en chloroforme, aconite et digitaline. Elle l'avait cachée dans une poche d'une vieille pèlerine. Elle se demande si Bernard l'aurait découverte. Le paquet de poisons est toujours au même endroit. Bien que la mort la terrifie, elle décide de se suicider. D'abord elle va voir sa fille endormie. Elle baise sa main et pleure :

« ... quelques pauvres larmes, elle qui ne pleure jamais. »

Dans sa propre chambre, où elle va pour prendre du chloroforme, « ... dont le nom, plus familier, lui fait moins peur parce qu'il suscite des images de sommeil ... », elle hésite un instant. Elle se demande ce qu'est la mort. Elle « ...n'est pas assurée du néant. » Faisant face à ce problème elle est obligée de réfléchir à la question concernant l'existence et à la nature de Dieu. Elle pense au curé le jour de la Fête-Dieu (voir chapitre VIII). Elle a déjà versé

35

du chloroforme dans de l'eau quand Balionte lui annonce la mort de tante Clara. A-t-elle été sauvée du péché mortel par la mort de la tante Clara ? : « Thérèse regarde ce corps, ce vieux corps fidèle qui s'est couché sous ses pas au moment où elle allait se jeter dans la mort. Hasard; coïncidence. Si on lui parlait d'une volonté particulière, elle hausserait les épaules. »

Exercices de compréhension

A Répondez aux questions

1 Pourquoi Thérèse ne s'est-elle pas servie de sa confession ?
2 Comment la famille considérait-elle Thérèse ?
3 Pourquoi la fuite était-elle impraticable pour Thérèse ?
4 Si elle fuyait quel serait son sort ?
5 Qui était Daguerre ?
6 Où Thérèse avait-elle caché le paquet de poisons ?
7 Quels poisons le paquet contenait-il ?
8 Qui Thérèse est-elle allée voir ?
9 Qu'est-ce qui a poussé Thérèse à penser que « ... les gens ont raison : une réplique d'elle-même est là. ... » ?
10 Pourquoi s'est-elle étonnée quand elle a pleuré ?
11 Décrivez les bruits qui ont précédé l'entrée subite de Balionte.
12 Pourquoi pensez-vous que l'expression « la vieille impie » a été utilisée à l'égard de tante Clara ?
13 Expliquez « Et qui sait si ce n'est pas elle qui a fait le coup ? »
14 A votre avis pourquoi Bernard a-t-il traversé « ostensiblement la nef » à la messe du dimanche ?
15 « ... entre deux enfants, un homme déguisé est debout, chuchotant, les bras un peu écartés. »
    (a) Qui est cet homme ?   (b) Qu'est-ce qu'il est en train de faire ?
    (c) Qui sont les deux enfants ?   (d) A votre avis quelle est l'attitude de Thérèse envers cet homme ? Justifiez votre réponse.

B   Faites un court résumé des événements de ce chapitre.

C 1 Faites un portrait de tante Clara. Vous devrez inclure les renseignements suivants.

- le rôle qu'elle joue dans la vie de Thérèse
- son caractère
- son attitude envers l'église et la religion
- l'importance de sa surdité dans sa vie

2 A votre avis, est-elle présentée avec bienveillance ? Justifiez votre réponse.

D 1 Expliquez la section du texte : « Thérèse regarde le corps ... hasard : coïncidence. ».

2 Thérèse décide de se tuer. Qu'est-ce qui la fait hésiter ?

CHAPITRE XI

une garce   femme ou fille méprisable

un grabat   lit misérable, lit de malade

Simple résumé

Bernard et Thérèse se sont installés dans la maison Desqueyroux qui, pour
ne pas avoir été habitée depuis longtemps, se trouvait en très mauvais état.
Le nouveau régime concernant Thérèse a été instauré. Thérèse le trouvait
intolérable et elle est descendue une fois dans la cuisine. Bernard lui a
rappelé les conditions. Puis il lui a annoncé qu'il allait s'installer à Saint-
Clair. D'ailleurs il allait rejoindre sa mère et Marie à Beaulieu et serait
absent jusqu'à la mi-décembre. Donc, à part les domestiques, Balion et
Balionte, Thérèse serait seule dans une maison qu'elle ne connaissait pas.
Un jour, après être sortie sous la pluie, Thérèse a pris froid. Elle avait de la
fièvre. Au cours de sa maladie elle restait lucide rêvant d'une vie à Paris.
Elle ne voulait pas sortir de cet état. Elle mangeait et buvait très peu mais
ne cessait de fumer. Sa chambre, son lit et son corps sont devenus
malpropres. Une fenêtre n'était pas bien fermée par Balionte et Thérèse a
repris froid et sa condition s'est empirée.

Résumé avec commentaire

L'installation dans la maison Desqueyroux a intensifié l'isolement de
Thérèse. Bernard la prive même de la possibilité d'aller à la messe qui est
devenue pour elle une relâche. Son isolement augmente après le départ de
Bernard. Quand elle sort elle tâche de ne pas être vue de peur de ce qu'on
dit d'elle. Après une sortie sous la pluie elle prend froid et a de la fièvre.
Son sommeil est traversé de rêves et de visions extrêmement lucides. Elle se
voit comme une femme intelligente et désirable à Paris avec Jean Azévédo
et ses amis. Elle imagine une vie où elle choisira « les siens » et où elle ne
sera plus dépendante de personne. Elle se plaît à créer et à modifier des
rêves. Elle ne quitte plus son lit, mange à peine, juste assez pour pouvoir
fumer. Balionte se plaint de l'état sordide de sa chambre et de son lit. On la
prive de ses cigarettes. Balionte lui rappelle que Bernard rentrera d'un jour
à l'autre. Alors elle laisse Balionte faire son lit et sa chambre. Thérèse est
choquée par ses jambes squelettiques. Recouchée, elle souffre du manque de
tabac. Après que Balionte néglige de bien fermer la fenêtre Thérèse reprend

froid. Elle ne veut pas se lever pour refermer la fenêtre. Elle laisse le froid l'envahir comme si elle invitait la souffrance.

Commentaire sur les thèmes

L'isolement de Thérèse et le paysage des landes

Au début du chapitre Thérèse semble avoir accepté sa situation, c'est-à-dire elle s'est soumise aux conditions imposées par Bernard et la famille. Elle passe les journées à marcher mais les soirs lui sont interminables. Bientôt elle trouve insupportable de rester le soir dans sa chambre. Après le départ de Bernard elle devient consciente de son isolement total au milieu des landes.

« Enfin la pluie sur les tuiles, sur les vitres brouillées ... sur le champ désert ; sur cent kilomètres de landes et de marais, sur les dernières dunes mouvantes, sur l'océan. »

L'évolution de Thérèse

Au cours de sa fièvre elle imagine sa vie à Paris. Ses rêves et ses fantaisies sont un moyen d'évasion. Petit à petit elle s'y enfonce. Finalement elle semble pouvoir les commander. Elle élabore toute une vie dans laquelle elle contrôle son destin. Elle s'imagine une femme émancipée avec un cercle d'admirateurs :

« Etre une femme seule dans Paris, qui gagne sa vie, qui ne dépend de personne. »

Elle trouve un amour idéal et passionné :

« Elle composait un bonheur, elle inventait une joie, elle créait de toutes pièces un impossible amour. »

Malgré son état physique et malgré l'état de sa chambre et de son lit, « un vrai parc à cochons », selon Balionte, elle ne veut pas sortir de son rêve. Pendant tout ce temps elle ne peut pas se passer du tabac qui semble soutenir sa vie et nourrir ses rêves :

« Comment vivre sans fumer ? Il fallait que ses doigts puissent sans cesse toucher cette petite chose sèche et chaude ; il fallait qu'elle pût ensuite les flairer indéfiniment et que la chambre baignât dans une brume qu'avait respirée et rejetée sa bouche. »

Exercices de compréhension

A Donnez les renseignements requis :

- L'état de la maison Desqueyroux.
- L'attitude envers Thérèse
1 des métayers et de leurs familles.

2 des gens du bourg.

■ le sujet principal des rêves de Thérèse.

B Si plus tard quelqu'un avait posé à Thérèse ces questions qu'aurait-elle répondu ?

1 Pourquoi êtes-vous sortie sous la pluie ce soir juste après le départ de Bernard ?
2 Quels étaient les symptômes de votre maladie ?
3 Pourquoi n'avez-vous pas demandé qu'on vous soigne ?
4 De quoi avez-vous rêvé ?
5 Comment avez-vous imaginé votre vie à Paris ?
6 Y étiez-vous heureuse ?
7 Pour quelles raisons ?
8 Comment les domestiques ont-ils réagi ?
9 Qu'est-ce que cela vous a fait d'être privée de cigarettes ?
10 Pourquoi n'avez-vous pas bien fermé la fenêtre ?

C Repérez et puis écrivez les sections du texte qui correspondent aux idées suivantes.

Thérèse
1 ... imaginait qu'on s'intéresse à ses expériences.
2 ... aspirait à être indépendante et sans liens.
3 ... a inventé un amour et un bonheur.
4 ... a créé une maison à elle.
5 ... avait maigri horriblement.

D Au cours de sa fièvre Thérèse rêve d'une vie à laquelle elle semble aspirer. Faites la description de cette vie. Vous pourriez commencer de la manière suivante :

« Le comble de ses désirs était de vivre à Paris. »

CHAPITRE XII

Vocabulaire de base

un Petit-gris fourrure de l'écureuil de Russie ou de Sibérie

une cocarde ornement en ruban

la gemme résine qui coule des pins par les incisions de l'écorce du tronc

une bure grosse étoffe de laine brune

Simple résumé

Une lettre de Bernard est arrivée annonçant qu'il rentrerait avant le 18 décembre accompagné peut-être d'Anne et du fils Deguilhem. Thérèse a fait de son mieux pour devenir lucide et pour que son apparence ne choque pas les visiteurs. Parmi eux se trouvait aussi Mme de la Trave. Bernard a été extrêmement choqué en voyant sa femme. Thérèse a dit des choses agréables à Anne et celle-ci a parlé de Marie. Les visiteurs partis, Bernard s'est mis en colère contre Balion et Balionte, les accusant d'avoir négligé Thérèse. Puis Bernard a permis à Thérèse de manger dans la salle à manger. Voici qu'a commencé la convalescence de Thérèse surveillée par Bernard. Il insistait pour qu'elle mange, qu'elle prenne de l'exercice et qu'elle fume moins. Un soir Bernard a fait savoir à sa femme qu'il n'avait pas d'objection à ce qu'elle parte et qu'elle mène une vie indépendante, pourvu que ce ne soit pas avant le mariage d'Anne. Elle irait à Paris où Bernard transmettrait de l'argent, le rendement des pins de Thérèse. Mme de la Trave et M. Larroque y auraient consenti.

Résumé avec commentaire

Dans sa lettre Bernard rappelle à Thérèse qu'il tient toujours de quoi l'inculper. Le maquillage qu'elle met pour déguiser les signes de son amaigrissement ne sert qu'à les accentuer. Bernard, qui est horrifié de voir un tel changement, regrette de ne pas être allé la voir avant l'arrivée du fils Deguilhem. Bernard a, semble-t-il, pris conscience des conséquences de ses actions. Avant l'arrivée de Thérèse, Mme de la Trave parle de l'hypocrisie de sa belle-fille. Mais quand elle la voit, elle trouve difficile de dissimuler, elle aussi, son étonnement. En voyant Anne avec son fiancé, Thérèse se rend compte que son amie a accepté le destin qu'elle, Thérèse, avait refusé. Bernard a décidé de rester à Argelouse jusqu'à ce que la convalescence de sa femme soit accomplie. En fait il la soigne. Il surveille ses repas à la salle à manger. Il l'oblige à se peser souvent et à réduire le nombre de cigarettes qu'elle fume. Petit à petit elle reprend goût à la vie. Un jour Bernard lui dit qu'elle peut partir à Paris une fois que le fils Deguilhem et Anne seront mariés. Les deux époux commencent à mieux s'entendre. Thérèse parle librement de ce qu'elle fera à Paris et Bernard semble s'y intéresser. Thérèse sait qu'il a décidé de la libérer. Elle a dû reconnaître le pouvoir de la famille et sa façon de s'évader a failli aboutir à sa mort.

Commentaire sur les thèmes

Thérèse et Bernard

En soignant Thérèse, en la forçant à manger, Bernard semble d'abord être motivé par la nécessité de garder les apparences. Il prétend agir dans les intérêts de la famille, en la laissant aller à Paris : « Je ne serai tranquille, disait-il à sa mère, que lorsqu'elle aura débarrassé le plancher. »

Mais il doit admettre qu'il n'a vraiment pas le choix. « Bernard la lâcherait dans le monde, comme autrefois, cette laie qu'il n'avait pas su apprivoiser. »

Vers la fin du chapitre Bernard semble avoir accepté que Thérèse redevienne elle-même. Une nouvelle phase dans leurs relations semble naître. Bernard n'est plus gêné par la présence de sa femme.

Les intérêts de la famille

Le souci principal de Bernard est de sauvegarder les intérêts de la famille. Le ton brutal de la lettre indique qu'il est prêt à prendre toutes les mesures nécessaires pour empêcher Thérèse de compromettre ses projets : « ... je n'hésiterais pas non plus, le cas échéant, à vous faire payer cher toute tentative de sabotage. »

Thérèse est forcée, encore une fois, de se soumettre à la volonté de Bernard et de la famille. Elle semble s'y soumettre sans lutter. Est-ce qu'elle a été finalement domptée ? Bernard, a-t-il raison de dire « ... qu'elle suscitait le drame.. » ? En d'autres termes Thérèse, mène-t-elle toujours le jeu ? Ceci semble le cas quand, pour tenter d'expliquer pourquoi elle a tellement maigri, elle dit, apparemment maîtresse de soi : « .. le mauvais temps m'empêchait de sortir, alors j'avais perdu l'appétit. »

Thérèse et Anne

41

Thérèse est pleinement consciente de ce que pense Anne quand elle ne semble pas s'intéresser à sa fille. Tout de même elle ne se laisse pas s'affaiblir en jouant le rôle de la mère conventionnelle. Elle sait qu'elle ne peut pas être comme Anne qui adore les enfants. Thérèse veut être elle-même. Elle semble à présent sûre de son destin : « Anne, elle, n'attend que d'avoir des enfants pour s'anéantir en eux, comme a fait sa mère, comme font toutes les femmes de la famille. Moi, il faut toujours que je me retrouve ; je m'efforce de me rejoindre... ».

Exercices de compréhension

A **Dites si les phrases suivantes sont vraies (V) ou fausses (F) selon le sens du texte. Dans les cas où la réponse est incertaine mettez « I » et expliquez pourquoi.**

1 D'après le contenu de sa lettre Bernard n'était pas au courant de la condition de Thérèse.

2 Le seul souci de Bernard était de cacher la vérité au fils Deguilhem.

3 Après avoir lu la lettre de Bernard, Thérèse n'a rien fait pour faire bonne impression sur les visiteurs.

4 Anne était bien habillée.

5 Mme de la Trave était disposée à pardonner Thérèse.

6 Thérèse considérait le fils Deguilhem avec mépris.

7 Thérèse ne s'intéressait pas du tout à sa fille.

8 En s'occupant personnellement de la convalescence de Thérèse, Bernard était motivé uniquement par ses propres intérêts.

9 Bernard a décidé de quitter sa femme.

10 Les relations entre les deux époux sont devenus plus naturelles.

B **Dans les cas où vous avez marqué F ou I dans l'exercice précédent justifiez votre réponse.**

C **Quelle impression Thérèse a-t-elle faite sur :**

1 Bernard ?

2 Anne ?

3 Mme de la Trave ?

D **Rédigez un dialogue entre Bernard et Thérèse où celle-ci parle de sa future vie à Paris.**

Vous pourriez commencer de la manière suivante :
Bernard : Que ferez-vous pour trouver un logement ?
Thérèse : J'ai déjà écrit à des amis pour me renseigner.
B : Comment passerez-vous votre temps ?
T : Je compte travailler.

Au cours de ce dialogue Bernard essaie de savoir qui sont les amis de Thérèse. Il demande aussi si Thérèse regrettera sa vie dans les landes. Pour sa part Thérèse voudrait savoir les détails des paiements qu'elle recevra.

E **Rédigez la section des mémoires de Thérèse (qu'elle écrira quelques années plus tard) où elle parle de ces derniers jours passés à Argelouse.**

Vous pourriez commencer de la manière suivante :
« Chose étrange, cette période de ma vie me semble, à présent, plus calme et plus heureuse que toute autre que j'avais passée auprès de Bernard. »

CHAPITRE XIII

Vocabulaire de base

une Victoria voiture ancienne découverte à quatre roues.

une pignade bois, plantation de pins (forme gasconne de pinède).

Simple résumé

Dans ce dernier chapitre du roman Thérèse et Bernard sont installés à la terrasse du Café de la Paix à Paris. Bernard a accompagné sa femme à la capitale où elle va commencer sa nouvelle vie. Bernard veut savoir pourquoi elle a voulu le tuer. Les raisons que lui donne Thérèse lui semblent soit facétieuses soit inconcevables. Au cours du chapitre Thérèse semble avoir des regrets de quitter son pays. Elle ne peut pas s'empêcher de voir dans son esprit les pins qu'elle a quittés. Avant qu'il parte, Bernard rappelle à sa femme que c'est lui qui va gérer leurs biens et que Thérèse ne retournera dans le pays que pour les cérémonies familiales. Bernard parti, Thérèse savoure sa liberté et pense à sa future vie.

Résumé avec commentaire

Bernard veut savoir pourquoi Thérèse a voulu l'empoisonner. La première réponse de Thérèse est ironique. Il insiste. Aucune tentative de la part de Thérèse de répondre à cette question n'arrive à satisfaire Bernard. Alors il lui demande à quel moment l'idée lui est venue. Thérèse parle des événements du jour de l'incendie de Mano. Bernard ne peut ou plutôt ne veut pas la croire. Il se hait d'avoir à l'interroger. Il risque de perdre l'avantage qu'il a gagné sur cette femme qu'il traite de détraquée. Tout de même il semble que les deux époux sont sur le point de se rapprocher. Thérèse semble même sur le point de réconcilier les deux personnes qui existent en elle, c'est-à-dire l'enfant des landes et la femme indépendante. Le flot humain sur les rues de Paris l'effraie momentanément. Elle exprime du souci pour Bernard en lui demandant s'il aura trop chaud pendant le voyage dans le Midi. Elle pense à son pays et, avec un sourire, elle demande pardon à Bernard. Mais celui-ci résiste à son charme. Il est résolu, semble-t-il, de vivre sans Thérèse. Bernard parti, elle fait face à sa solitude. Mais même après avoir déjeuné seule son pays lui manque.

Commentaire sur les thèmes

Dans ce dernier chapitre on trouve beaucoup de thèmes rencontrés dans le reste du roman. Mais l'auteur ne semble pas chercher à résoudre les problèmes des deux personnages principaux. Ceci est évident pour ce qui est de l'avenir de Thérèse, quand on lit les dernières phrases du livre : « Elle farda ses joues et ses lèvres, avec minutie, puis, ayant gagné la rue, marcha au hasard. »

L'émancipation féminine

Thérèse ne sait vraiment pas quel sera son destin. N'empêche qu'elle le brave avec résolution sinon avec espoir. Bien que l'auteur ne trace pas pour

43

nous, les lecteurs le destin de son héroïne, il nous laisse suffisamment d'indices pour nous permettre de l'imaginer. Si nous abordons cette question en examinant les thèmes, nous pourrons peut-être avancer plusieurs hypothèses intéressantes. Il n'y a pas de doute que Thérèse se soit libérée des liens familiaux ; elle est séparée de son mari, elle n'a plus à s'occuper de sa fille et l'esprit de famille ne doit plus la toucher. En ses propres termes elle est libre d'être elle-même, de faire ce qu'elle veut sans penser à la nécessité de garder les apparences. Mais il y a des indices qui prouvent qu'elle ne sera pas totalement libre. Le problème est que Thérèse reste partagée : « ... la Thérèse qui était fière d'épouser un Desqueyroux, de tenir son rang au sein d'une bonne famille de la lande, contente enfin de se caser, comme on dit, cette Thérèse-là est aussi réelle que l'autre, aussi vivante ... »

L'influence du paysage des landes

Et ce que Thérèse dit un peu plus tard semble indiquer qu'elle n'a pas tout à fait renoncé à sa vie précédente : « Il faudra pourtant que je revienne quelquefois, pour mes affaires ... et pour Marie. »

Il est évident qu'elle reste très attachée à son pays : « Elle vit en esprit la route où il roulerait, crut que le vent froid baignait sa face, ce vent qui sent le marécage, les copeaux résineux, les feux d'herbes, la menthe, la brume. »

Il faut pourtant reconnaître qu'elle va se lancer dans un pays inconnu. Il n'est guère surprenant qu'elle s'attache à un pays familier. Mais elle sait qu'elle doit braver cette nouvelle vie. Elle n'a aucun choix : « Thérèse ne redoutait plus la solitude. »

Thérèse et la religion

Si la vie de famille, si les landes, si les pins n'allaient pas la rappeler, peut-être qu'un besoin plus pressant et, à la longue, plus persuasif, la rappellerait : « ... elle percevait une lueur, une aube : elle imaginait un retour au pays, secret et triste – triste comme une vie de méditation, de perfectionnement, dans le silence d'Argelouse : l'aventure intérieure, la recherche de Dieu ... »

Comme dans d'autres moments lorsqu'il s'agit de Dieu, l'attention de Thérèse s'attache à autre chose.

Exercices de compréhension

A **Répondez aux questions.**

1 Quelle action Bernard se reprochait-il ?
2 Pour quelles raisons l'a-t-il faite ?
3 Pourquoi voulait-il quitter Thérèse ?
4 Que voulait-il demander à Thérèse ?
5 Selon Thérèse, quand avait-elle décidé d'empoisonner son mari ?
6 En pensant à ce jour, de quels détails se souvenait-elle ?

7 De quelle manière Bernard a-t-il réagi au récit de sa femme ?

8 Comment a-t-il réagi à la proposition de Thérèse de rentrer de temps en temps pour ses affaires et pour Marie ?

9 Qu'a dit Bernard quand Thérèse lui a demandé de lui pardonner son crime ?

10 Pourquoi Thérèse n'avait-elle pas envie de voir Jean Azévédo ce jour-là ?

B Repérez les sections du texte qui correspondent aux affirmations suivantes :

1 Malgré lui Bernard était triste de quitter Thérèse.

2 Thérèse se moquait de Bernard en lui disant qu'elle l'avait empoisonné pour s'enrichir.

3 Thérèse imaginait qu'elle pouvait retrouver une vie tranquille à Argelouse.

4 Thérèse a dit à Bernard qu'elle ne voulait pas jouer un rôle.

5 Thérèse a essayé d'expliquer à Bernard qu'il existait en elle deux personnalités.

6 Bernard a rappelé à Thérèse qu'elle devrait continuer à jouer un rôle pour maintenir l'honneur de la famille.

7 Thérèse imaginait qu'elle rentrait avec Bernard.

C Rédigez un paragraphe sur chacun des sujets suivants :

1 Les regrets de Thérèse.

2 Les regrets de Bernard.

3 L'avenir envisagé pour lui-même.

4 Les craintes de Thérèse pour l'avenir.

45

D (i) Rédigez un dialogue entre Jean Azévédo et Thérèse où celle-ci décrit les derniers moments qu'elle a passés avec Bernard à la terrasse du Café de la Paix.

(ii) Rédigez un dialogue entre Bernard et Mme de la Trave où il répond à ces questions.

■ De quoi avez-vous parlé ?

■ Quelles raisons t'a-t-elle données pour expliquer son acte ?

■ Avait-elle des regrets à te quitter ?

■ Quelle mine avait-elle ?

■ Que penses-tu, a-t-elle peur d'être seule à Paris ?

■ Et toi, tu avais des regrets en la quittant ?

SUJETS DE DISCUSSION ET DE RÉDACTION

Repérage des thèmes par chapitre

Repérez les sections appropriées dans le texte.

Chapitre I
1. L'isolement émotionnel
2. L'isolement intellectuel
3. L'honneur de la famille
4. L'hypocrisie de la bourgeoisie
5. La révolte contre la famille

Chapitre II
1. L'isolement émotionnel
2. Le catholicisme

Chapitre III
1. Le paysage des landes
2. L'isolement intellectuel
3. L'esprit de famille
4. Le rôle du mariage parmi la bourgeoisie landaise
5. La chasse
6. L'antisémitisme

Chapitre IV
1. Le rôle du mariage
2. L'isolement émotionnel et intellectuel
3. Les institutions répressives
4. La soumission de la femme
5. L'esprit et l'honneur de la famille
6. L'hypocrisie de la bourgeoisie
7. L'antisémitisme

Chapitre V
1. L'honneur de la famille
2. Le rôle du mariage
3. La soumission de la femme

Chapitre VI
1. La chasse
2. Le catholicisme

Chapitre VII
1 La soumission de la femme
2 Les institutions répressives
3 L'émancipation féminine
4 L'hypocrisie de la bourgeoisie landaise

Chapitre VIII
1 Le catholicisme
2 L'isolement intellectuel et émotionnel
3 La révolte contre la famille

Chapitre IX
1 La soumission de la femme
2 L'isolement intellectuel et émotionnel
3 L'honneur de la famille

Chapitre X
1 L'isolement émotionnel
2 La soumission de la femme
3 Le catholicisme

Chapitre XI
1 La soumission de la femme
2 L'isolement intellectuel

Chapitre XII
1 L'honneur de la famille
2 L'émancipation féminine
3 L'hypocrisie de la bourgeoisie landaise

Chapitre XIII
1 L'émancipation féminine
2 L'honneur de la famille

Tâches basées sur les chapitres

Dans la plupart de ces tâches un court paragraphe suffira.

Chapitre I

1 Quelles sont vos premières impressions de Thérèse ?
2 Approuvez-vous l'attitude de M. Larroque envers sa fille ? Justifiez votre réponse.

Chapitre II

1 Décrivez l'éducation de Thérèse et d'Anne.
2 Décrivez le mauvais rêve de Thérèse.

Chapitre III

1 Dans quel sens les caractères des deux jeunes filles diffèrent-ils ?
2 Quelles sont vos impressions d'Argelouse ?

Chapitre IV

1 Quelles émotions Thérèse éprouve-t-elle le jour de son mariage ?
2 Thérèse, que trouve-t-elle de répugnant en Bernard ?

Chapitre V

1 Que dit Thérèse à Anne pour la persuader de partir ?
2 Est-il possible de justifier la conduite de Thérèse à l'égard de son amie ? Justifiez votre réponse.

Chapitre VI

1 Faites le portrait de M. Larroque.
2 Les premières impressions de Thérèse concernant Jean Azévédo sont-elles favorables ou défavorables ? Justifiez votre réponse.

Chapitre VII

1 De quelle manière Thérèse est-elle affectée par ses rencontres avec Jean Azévédo ?
2 Décrivez l'état d'esprit d'Anne.

Chapitre VIII

1 Relisez la section du texte de « La voici au moment de regarder en face l'acte qu'elle a commis ... » jusqu'à « Bernard se fit transporter à Argelouse, comptant bien être guéri pour la chasse à la palombe. » Puis faites un résumé des événements décrits.
2 A votre avis pourquoi Thérèse s'intéresse-t-elle au curé ?

Chapitre IX

1 Faites une liste des conditions imposées à Thérèse.
2 Expliquez pourquoi d'un côté, Bernard insiste pour que Thérèse garde sa chambre et de l'autre, qu'elle l'accompagne à la messe du dimanche.

Chapitre X

1 Quel rôle l'ordonnance falsifiée joue-t-elle dans l'intrigue ?
2 La mort de tante Clara est-elle hasard, coïncidence ? Qu'en pensez-vous et pour quelles raisons ?

Chapitre XI

1 Décrivez, sous forme de notes, ce qu'imagine Thérèse concernant une vie à Paris.
2 Notez les détails concernant l'état de la chambre de Thérèse.

Chapitre XII

1 Que pense Thérèse du fils Deguilhem ?
2 « Ce qu'il y a d'étonnant, c'est qu'ils n'ont pas du tout l'air de jouer la comédie. » Qu'est-ce qui indique que ce que dit le docteur Pédémay est vrai ?

Chapitre XIII

1 Notez les réactions de Thérèse aux détails donnés par l'auteur sur la vie animée de Paris.
2 Comment la séparation affectera-t-elle
(*a*) Thérèse ?   (*b*) Bernard ?

Sujets de rédaction

1 Le paysage des landes figure beaucoup dans ce roman. Quelle en est l'importance dans la vie de Thérèse ?
2 « On savait déjà qu'il y avait des gens capables d'assassiner ... mais c'est son hypocrisie ! Ça, c'est épouvantable ! » (chapitre XII) Comment réagissez-vous à ce que dit Mme de la Trave à l'égard de Thérèse ?
3 Avant de publier son roman Mauriac voulait l'intituler « L'esprit de famille ». Qu'est-ce qu'il y a dans le roman qui pourrait justifier ce titre ?
4 Dans le dernier chapitre il s'agit de deux « Thérèses ». Elle y décrit l'une d'elles. Décrivez « l'autre Thérèse ».
5 D'après ce que vous avez lu dans ce roman, quelles sont les mauvaises et les bonnes qualités de la bourgeoisie landaise ?
6 Qu'est-ce qui a poussé Thérèse à empoisonner Bernard ?
7 « C'est un roman auquel on ne peut pas s'arracher. » Etes-vous d'accord avec ce jugement ? Justifiez votre réponse.
8 « On sympathise avec Thérèse malgré soi et on trouve Bernard antipathique malgré lui. » Jusqu'à quel point ce jugement reflète-t-il votre opinion ?
9 Si Thérèse n'était pas intervenue dans leurs affaires, pensez-vous que Jean Azévédo et Anne de la Trave se seraient finalement mariés ? Justifiez votre opinion.
10 « J'aurais voulu que la douleur, Thérèse, te livre à Dieu ; ... Du moins, sur le trottoir où je t'abandonne, j'ai l'espérance que tu n'es pas seule. » Ces mots de Mauriac dans la préface de *Thérèse Desqueyroux* semblent suggérer que l'auteur espère que son héroïne sera touchée par la grâce de Dieu et qu'elle se livrera finalement à Lui. Au cours de votre lecture du roman qu'est-ce qui vous laisse penser que l'espoir de l'auteur sera ou ne sera pas réalisé ?
11 Le point de vue de Thérèse est le seul à être présenté au lecteur. Jusqu'à quel point ce jugement est-il vrai ?
12 La technique de retours en arrière est employée dans les huit premiers chapitres. Est-elle efficace ou non ? Justifiez votre réponse.

49

Sujets de rédaction supplémentaires

1 Dans les romans que vous avez lus quel est le rôle de la famille ?

2 « Le paysage exerce une grande influence sur les personnages de beaucoup de romans français. » Jusqu'à quel point cette affirmation est-elle vraie concernant les romans que vous avez lus ?

3 Faites le portait d'un personnage féminin d'un des romans que vous avez lus.

4 Imaginez une lettre dans laquelle vous exprimez vos opinions sur un roman que vous avez lu. Adressez-la à l'auteur.

5 Ecrivez la vie d'un personnage d'un des romans que vous avez lus. Utilisez des temps de passé. Vous pourriez commencer par une phrase comme : « Il/elle est né(e) dans une région qui a exercé sur lui/elle une influence profonde. »

6 Imaginez une lettre écrite par un personnage d'un des romans que vous avez lus. Il/elle tente de justifier ses actions à celui/celle qu'il/elle aurait traité(e) injustement.

7 Imaginez un article pour une revue littéraire où vous décrivez la structure d'un des romans que vous avez lus.

8 Dans les romans que vous avez lus les personnages secondaires jouent-ils un rôle important ? Justifiez votre réponse.

9 Imaginez une autre fin d'un des romans que vous avez lus.

10 Faites le portrait d'un personnage de roman que vous avez trouvé antipathique. Donnez les raisons de votre antipathie.

Tâches créatives

1 Vous êtes reporter. Rédigez un récit du cas Desqueyroux en forme de fait divers. Vous pourriez commencer de la manière suivante :
« Hier au Palais de Justice il y a eu un arrêt de non-lieu concernant le cas Desqueyroux. Pourtant nous sommes informés par une source sûre que c'est moins simple que cela n'en a l'air. ... »

2 Vous filmez quelques scènes du roman. Vous commencez par la nuit de l'incendie. Rédigez les instructions que vous transmettrez à ceux de vos camarades qui joueront les rôles de Thérèse et de Bernard. Tenez compte des facteurs suivants :
- leurs positions
- leurs mouvements
- leurs gestes
- leurs paroles
- leurs expressions

3 Bien des années plus tard, la fille de Marie, petite-fille de Thérèse, trouve dans un tiroir une vieille photo de sa grand-mère, sur le revers

de laquelle elle lit le message suivant : « A ma chère petite Marie. Ta maman qui n'a pas disparu. » Rédigez le dialogue entre Marie et sa fille où celle-ci pose des questions concernant sa grand-mère qu'elle n'a jamais connue.

4   Relisez les sections du livre où il s'agit de la chasse. Avancez des arguments pour justifier cette activité chez les habitants de la région des landes.

5   L'un(e) de vos ami(e)s ne trouve rien ni dans la situation de Thérèse ni dans ses actions qui puisse l'exonérer de son crime. Avancez des raisons et proposez des circonstances qui puissent atténuer son crime.

6   Lors d'une de ses visites à son pays pour une cérémonie familiale, Thérèse parle avec Anne de leur adolescence. Rédigez un dialogue où elles rappellent leurs études et les jours d'été qu'elles ont passés à Argelouse.

7   (a) Rédigez les questions que vous auriez voulu poser à François Mauriac sur son attitude à l'égard de Thérèse et de son crime.
(b) Ecrivez les réponses qu'il aurait pu donner.

8   Ecrivez un simple résumé du roman d'environ 250 mots.

9   Rédigez une courte description de l'épisode du roman qui vous a le plus impressionné, puis donnez les raisons de votre choix.

10 A part Thérèse, quel personnage a suscité le plus votre intérêt et pour quelles raisons ?

51

Questions à préparer pour l'épreuve à l'oral

L'intrigue

1   Racontez-moi les événements du jour de l'incendie de Mano.
2   Dites-moi pourquoi Thérèse n'a pas été poursuivie en justice.
3   A votre avis pourquoi Thérèse a-t-elle empoisonné Bernard ?
4   Expliquez pourquoi Bernard a permis à Thérèse de s'installer à Paris.
5   Faites le récit de l'épisode du roman qui, selon vous, représente le tournant dans le destin de Thérèse.

Les personnages

1   Selon vous quel est le personnage qui exerce le plus d'influence sur Thérèse ? Donnez des raisons.
2   Est-ce que vous vous identifiez avec Thérèse ? avec Bernard ? Avec un autre personnage ? Lequel ? Pourquoi ? En quel sens ?
3   Quelle est l'attitude de la société envers Thérèse ? Est-elle justifiée ? Avancez vos raisons. Quelle est votre attitude envers Thérèse ?
4   Qu'est-ce qui motive Thérèse ?
5   Avez-vous l'impression que l'auteur éprouve une préférence pour

Thérèse ? Si oui, comment cette préférence se manifeste-t-elle ? Si non, comment l'auteur maintient-il son objectivité ?

6 Que pensez-vous de Bernard ? Le trouvez-vous sympathique ? Donnez vos raisons.

7 Quel rôle Anne de la Trave joue-t-elle dans la vie de Thérèse ? Trouvez-vous que l'auteur est trop sévère à son égard ? Pensez-vous qu'elle sera heureuse avec le fils Deguilhem ?

8 Décrivez tante Clara. Que pensez-vous de la manière dont elle est traitée par Thérèse ? Est-elle heureuse ? Pourquoi ?

9 Aimeriez-vous rencontrer Thérèse ? Pourquoi ?

10 Si vous étiez Thérèse, auriez-vous voulu rester à Argelouse plutôt que d'aller vous installer à Paris ? Pourquoi ?

La structure

1 Pensez-vous que « le retour en arrière » dans les huit premiers chapitres est nécessaire ? Comment réagissez-vous à cette technique ? Ajoute-t-elle quelque chose à l'intérêt de l'intrigue ? Qu'est-ce qu'elle apporte au roman ?

2 Savez-vous ce que pensent et sentent les personnages autres que Thérèse ? Comment le savez-vous ? Auriez-vous aimé en savoir plus ? Pourquoi ?

3 Pensez-vous que le roman est pessimiste/optimiste/ni l'un ni l'autre ? Pourquoi ?

4 Approuvez-vous la fin qu'a donnée Mauriac à son roman ? Pourquoi ? Quelle fin auriez-vous proposée ?

5 Trouvez-vous que le style du roman est approprié au sujet ? Pour quelles raisons ? Donnez des exemples.

Les thèmes

1 Selon vous y a-t-il un thème qui domine dans le livre ? Si oui, lequel ? Si non, quels sont les thèmes les plus importants ? Donnez des exemples.

2 Quelle impression vous êtes-vous formée de la bourgeoisie landaise ? Dans l'ensemble ses membres sont-ils admirables ou non ? Donnez des exemples.

3 Aimeriez-vous vivre dans les landes du roman ? Quels en seraient les avantages et les inconvénients ?

4 Comment la religion figure-t-elle dans le roman ? A votre avis Thérèse est-elle athée ? Pourquoi le pensez-vous ?

5 Est-ce que votre lecture de ce roman vous a persuadé(e) que François Mauriac est pour l'émancipation féminine ? Pourquoi ?

L'auteur et son roman

1 Avez-vous lu d'autres romans de François Mauriac ? Lesquels ? Avez-vous remarqué des ressemblances entre eux et *Thérèse Desqueyroux* ? Lesquelles ?

2 Sauriez-vous, en lisant ce roman, que l'auteur est chrétien/catholique ? Si oui, comment ? Si non, comment expliquer l'intérêt que l'auteur suscite concernant l'église catholique et la vie spirituelle de Thérèse ?

3 Trouvez-vous que l'auteur est trop sévère dans sa critique de certains de ses personnages ? Si oui, lesquels ? Donnez-en des exemples. Si non, comment se fait-il que les défauts dominent souvent dans la description des personnages ?

4 On dirait que l'auteur décrit le paysage des landes comme s'il le connaissait intimement. Etes-vous d'accord ? Pourquoi ?

5 Pensez-vous que Mauriac comprenne la psychologie féminine ? Pourquoi ?

Impressions personnelles

1 Avez-vous aimé ce roman ? Qu'est-ce que vous avez aimé dans le livre ? Qu'est-ce que vous n'avez pas aimé ?

2 Qu'est-ce que vous avez appris en lisant ce livre concernant la nature humaine/une région de France/le mode de vie des Français ?

3 Avez-vous trouvé le livre difficile à lire ? Si oui, pourquoi ? C'était à cause du vocabulaire/des idées ?

4 Quels personnages avez-vous trouvés intéressants/n'avez-vous pas trouvés intéressants ? Pourquoi ?

5 Si vous aviez à décrire le roman à un(e) ami(e) français(e) en quelques phrases, que diriez-vous ?

6 Qu'est-ce que vous avez trouvé étrange dans ce roman ? Expliquez pourquoi.

7 La chasse joue un rôle très important parmi les membres de la société landaise. Comment avez-vous réagi en lisant les épisodes qui traitent de la chasse ?

8 Comment avez-vous réagi aux sections du livre qui traitent des relations entre les hommes et les femmes ?

9 Avez-vous été surpris(e) de la manière dont Bernard traite Thérèse ?

10 Vous avez à me persuader de lire ce roman. Donnez-moi au moins six raisons pour le faire.

Testez votre mémoire

A Complétez :

1 Les maisons des Desqueyroux et des Larroque se trouvent à …

2 Anne de la Trave a fait ses études au …

3 Thérèse a fait ses études au …

4 Bernard a fait une licence de …

5 Anne de la Trave est la demi-sœur de …

6 Aux noces de Thérèse, Anne était une de ses …

7 Anne est tombée amoureuse de …

8 Bernard adore la chasse à la ...

9 Le paquet de poisons contient le ..., l'... et la ...

10 Les deux domestiques de Bernard s'appellent ... et ...

B **Nommez les personnages décrits.**

1 ... ce visage sale de bile, ces joues hérissées de durs poils d'un blanc jaune ...

2 ... ce large front, magnifique ...

3 ... la fille la plus riche et la plus intelligente de la lande

4 ... manières frustes et sauvages

5 ... elle haïssait la lecture, n'aimait que coudre, jacasser et rire.

6 ... cette grande bouche toujours un peu ouverte sur des dents aiguës

7 ... deux poings minuscules sont posés sur le drap

8 ... elle sourit à ce crâne, à ces moustaches de gendarme, à ces épaules tombantes.

C **Qu'a-t-il/elle fait ensuite ?**

1 L'avocat cria « Non-lieu » ... vous pouvez sortir : il n'y a personne.
Ensuite : Thérèse ...

2 La photographie était restée sur la table ; tout auprès luisait une épingle.
Ensuite : Thérèse ...

3 Bernard, éveillé par le bruit de leurs voix, les attendait en robe de chambre, dans le salon.
Ensuite : Bernard ...

4 « Est-ce que j'ai pris mes gouttes ? »
Et sans attendre la réponse, de nouveau il en fait tomber dans son verre.
Ensuite : Thérèse ...

5 Thérèse n'a que le temps de jeter un châle sur la table pour cacher les poisons.
Ensuite : Balionte ...

D **Ecrivez une définition pour chacun de ces mots et expressions :**

le non-lieu   la lande   le juge d'instruction   la palombe   la métairie
le métayer   le marécage   jusqu'à la moelle   la brande
le crime passionnel   la meute   garder les apparences

RÉPONSES AUX QUESTIONS

Chapitre I

A 1 le palais de justice
2 brumeux, humide
3 froide
4 qu'il l'attendait et qu'elle était anxieuse
5 Le docteur Pédemay a retiré sa plainte et Bernard a confirmé l'histoire de Thérèse
6 déprimée, pessimiste, souffrante
7 Il tient un directeur de journal qui a peur qu'on l'expose
8 Il faut qu'elle reste avec son mari et qu'elle agisse comme si de rien n'était
B 1 V   2 F   3 V   4 F   5 F   6 F   7 V   8 F
C 1 c, d, e, f
2 a, b, g, h

Chapitre II

A 1 blême   2 ballottée   3 creuses
B vomissements, liquide verdâtre, syncopes, jambes inertes, insensibles, (je) grelottais, pouls agité
C l'heure : la nuit
la route : cahoteuse, entre les pins,
les moyens de transport : calèche/voiture, petit train, carriole
les personnages mentionnés : Bernard, le juge d'instruction, Anne de la Trave, Gardère (cocher) et sa femme, M. Larroque
D 1 dans le noir
2 le paquet de poisons
3 Bernard
4 charme
5 un œuf frit sur du jambon
6 pardonnerait
7 mal
8 la vie

Chapitre III

A 1 bergers
2 de son père
3 l'ouverture de la chasse
4 cours de droit à Paris, voyage en Italie, en Espagne, aux Pays-Bas
5 Anne aimait la chasse et n'aimait pas lire, Thérèse lisait beaucoup mais n'aimait pas la chasse.

     6 La description semble indiquer que Thérèse était choquée.

     7 elle n'a pas les principes des Desqueyroux, elle fume trop

     8 devenir la belle-sœur d'Anne – agrandir sa propriété – un refuge – rang et une place

B 1 une extrémité de la terre – une seule route défoncée – plus rien que 80k ... quartier perdu

     2

     (i) les cigales – la fournaise de lande – des millions de mouches – hautes brandes

     (ii) la chaleur demeurait stagnante – nuées orageuses

C 1 politique   2 pauvre   3 propres   4 métayers   5 chasse   6 goûts

     7 répugnante   8 mettre le feu   9 méprisait   10 demoiselles d'honneur

Chapitre IV

A 1 Aucun visage ... l'isolait de Thérèse

     2 elle avait le sentiment ... se perdre seule elle perçait le néant.

     3 le jour étouffant ... se sentit perdue.

B 1 il jouait à courir avec le chien ...

     2 dans la palombière

     3 Il est savant. Il a beaucoup lu.

     4 correctement

C 1 Mimer le désir ... y goûtait un plaisir amer.

     2 Il était enfermé dans son plaisir ... dans une auge.

     3 Thérèse admirait que cet homme pudique ... les patientes inventions de l'ombre.

     4 Mais le désir ... risquait de m'étrangler.

     5 Bernard revenait sur ses pas ... me retrouvait.

D 1 (e)   2 (a)   3 (c)   4 (d)   5 (b)

Chapitre V

A 1 F   2 V   3 F   4 V   5 V   6 F

B se marie persuade oublie quitte se marie soit était

C

Qui parle ?	De qui ?
Mme de la Trave	d'Anne
Mme de la Trave	d'Anne
Mme de la Trave	de Thérèse
Mme de la Trave	de Thérèse
Anne	du fils Deguilhem
Thérèse	de son bébé

Chapitre VI

A Thérèse ... (1), (9)
   Bernard ... (7)
   Tante Clara ... (3)
   Jean Azévédo ... (4)
   M. de la Trave ... (10)
   Mme de la Trave ... (5), (6)
   M. Larroque ... (2), (8)

B

favorables	défavorables
un front construit	trop grosses joues
beau regard	boutons
grande bouche ouverte	paumes moites
dents aiguës	

C 1 Bernard 2 Bernard 3 M.Larroque 4 tante Clara 5 Jean Azévédo
  6 Anne

Chapitre VII

A 1 (a) 2 (b) 3 (a) 4 (b) 5 (a) 6 (a) or (b)

Chapitre VIII

A 1 (4), (1), (7), (8), (3), (5), (2), (6)
C 1 F 2 F 3 V 4 F 5 V 6 V 7 F 8 F

Chapitre IX

A 1 Desqueyroux
  2 la tante Clara
  3 ses repas
  4 sa chambre
  5 pièces
  6 messe
  7 foire
B 1 couchées, endormies
  2 debout
  3 emmurée
  4 assise
  5 levé
  6 accroupie

C Thérèse : désespérée, abandonnée, à bout de forces, prise dans un piège

Bernard : triomphant, joyeux, content de soi, vengeur

Tante Clara : triste, frustrée, pieuse

Chapitre X

A 1 la confession était sans lien avec la réalité

2 comme un monstre

3 elle n'avait pas d'argent

4 la poursuite, prison

5 assassin qui avait été traqué dans la lande

6 dans la poche de la vieille pèlerine

7 chloroforme, aconite, digitaline

8 Marie

9 elle voyait qu'on avait raison de dire que sa fille lui ressemblait

10 elle ne pleurait jamais

11 volets, cris, portes, pas précipités

12 elle était anticléricale

13 on insinuait que Thérèse avait tué sa tante

14 c'était pour manifester aux gens que tout était normal

15 (a) le curé (b) dire la messe (c) enfants de chœur

Chapitre XI

A ■ délabrée, en mauvais état, humide

■ 1 soupçonneux   2 plus tolérants

■ sa vie à Paris

C 1 Elle enchantait un cercle de visages attentifs ... dans notre revue.

2 Etre une femme seule ... aussi disséminés fussent-ils.

3 Elle composait un bonheur ... un impossible amour.

4 elle arrangeait une maison ... le choix des étoffes.

5 Thérèse regardait avec stupeur ... lui paraissaient énormes.

Chapitre XII

A 1 V   2 V   3 F   4 V   5 F   6 V   7 I   8 I   9 F   10 V

Chapitre XIII

A 1 d'avoir accompagné Thérèse jusqu'à Paris

2 à cause de l'opinion publique, il avait obéi au désir d'Anne

3 pour échapper au trouble qu'elle lui causait

4 pourquoi elle avait voulu l'empoisonner

5 le jour du grand incendie de Mano

6 de la chaleur, de la fumée, de l'odeur des pignades consumées

7 il ricane, il ne la croit pas, il s'en moque

8 il lui rappelle les conditions

9 N'en parlons pas !

10 elle ne voulait pas parler, discuter

B 1 Au moment de se séparer d'elle ... il n'eût jamais convenu.

2 Ne savez-vous pas ... vos pins ?

3 elle percevait une lueur ... la recherche de Dieu

4 je ne voulais pas jouer un personnage ... renier à chaque moment une Thérèse.

5 Mais maintenant Bernard, je sens bien que la Thérèse ... il n'avait aucune raison de la sacrifier à l'autre.

6 Vous aurez votre place ... que l'on nous voie ensemble.

7 Elle vit en esprit la route ... la menthe, la brume.

Tâches basées sur les chapitres

Chapitre I

1 Quelles sont vos premières impressions de Thérèse ?

Il faut d'abord tenir compte de l'épreuve qu'elle vient de subir. Dès la première page elle paraît désorientée, anxieuse et mal assurée. La description du temps qu'il fait et du petit bourg presque vide à cette heure ne sert qu'à renforcer cette première impression. On se rend compte pourtant que, une fois qu'elle s'est orientée, elle maintient une objectivité, parfois critique. Elle est tout à fait consciente du jeu que jouent les deux hommes, son père et l'avocat. Elle est consciente aussi de sa propre situation. Elle est donc complètement lucide.

59

2 Approuvez-vous l'attitude de M. Larroque envers sa fille ? Justifiez votre réponse.

Quelle est en fait son attitude? Il paraît froid et sévère. Il insiste pour qu'elle fasse tout pour sauver les apparences. Il ne tient nullement compte des sentiments de sa fille. Tout ce qui compte pour lui, semble-t-il, c'est sa propre carrière. Son comportement reflète son désir apparent de ne pas reconnaître Thérèse comme sa fille. Pour lui la conduite de Thérèse est incompréhensible et inexcusable. Avant de le juger trop sévèrement on devrait se rappeler qu'il est membre d'une société qui a élaboré un code de conduite auquel il obéit. Les affections, même paternelles, y sont souvent subordonnées.

Chapitre II

1 Décrivez l'éducation de Thérèse et d'Anne de la Trave.

Le détail le plus important c'est que Thérèse a fait ses études au lycée, institution laïque, tandis que son amie d'enfance, Anne, a été élevée au couvent. Ce détail est important, parce que Thérèse arrive à garder son innocence sans l'aide de la religion. Au couvent les sœurs font tout pour préserver leus charges du mal. Thérèse, fille d'un père anticlérical, n'est pas préservée de la réalité tandis que les sœurs essaient de cacher la réalité à leurs élèves. Thérèse aime la lecture et s'intéresse aux idées. Anne n'aime pas la lecture et s'intéresse aux choses pratiques, semblant mépriser tout ce qui touche à la vie intellectuelle.

2 **Décrivez le mauvais rêve de Thérèse.**

Ce rêve vient après que Thérèse semble s'être apaisée un peu. Le mouvement de la voiture la berce. Elle s'endort. Le rêve lui rappelle que les preuves de son crime, bien qu'elles soient cachées, existent toujours. Le juge d'instruction semble pouvoir voir dans son âme et semble connaître ses secrets. Il présente à Thérèse le paquet de poisons qu'elle a caché dans sa vieille pèlerine. Elle est forcée de reconnaître que, tant que le non-lieu n'est pas officiel, elle risque d'être pousuivie en justice, jugée et condamnée et que la découverte du paquet de poisons y jouera un rôle primordial.

Chapitre III

1 **Dans quel sens les caractères des deux jeunes filles diffèrent-ils ?**

Il existe des différences superficielles comme leurs goûts et leurs intérêts. Mais il y a aussi des différences fondamentales. Thérèse est plus complexe. Elle réfléchit beaucoup. Anne est plus active et semble agir par instinct. Elle est plus simple que Thérèse. Celle-ci est plus passionnée qu'Anne et semble attacher plus d'importance que son amie à leur amitié. Ces différences se manifestent plus tard dans le roman, surtout à l'occasion de l'épisode où Anne tombe amoureuse de Jean Azévédo.

2 **Quelles sont vos impressions d'Argelouse ?**

Pour les bourgeois de Saint-Claire Argelouse et ses alentours ont une importance spéciale. Cette partie des landes est à l'origine de la prospérité des familles les plus respectées du bourg. Comme ceux des Desqueyroux, les aïeux de beaucoup de ces familles étaient de simples bergers des landes. Leurs maisons, comme celles de Thérèse et de Bernard, sont devenues des métairies. En lisant la description d'Argelouse sur les premières pages du chapitre, on a l'impression d'un petit pays perdu. Mais, comme dans une grande partie du roman, il y a un paradoxe car c'est dans ce pays où Thérèse a passé des moments heureux. C'est ce pays que, dans les dernières pages du roman, Thérèse regrette. Mais il ne faut pas oublier que, dans ce pays, après son retour du palais de justice, elle a subi un isolement émotionnel et intellectuel complet.

Chapitre IV

1 Quelles émotions Thérèse éprouve-t-elle le jour de son mariage ?

Le contraste est frappant entre ce que Thérèse devrait sentir et les émotions, qu'en réalité, elle éprouve. L'idéal est représenté par le visage d'Anne et la réalité par l'image de « la cage ». Pour Thérèse l'hilarité générale sonne faux. Mais la sensation d'être renfermée dans une cage, l'étouffement et l'isolement ne sont que trop réels. Elle ne peut pas s'empêcher de se comparer à Anne qui restera intacte. Thérèse éprouve une sorte de tristesse voisine de la douleur à l'idée qu'elle va perdre son innocence. Ses émotions sont donc complexes.

2 Thérèse, que trouve-t-elle de répugnant dans Bernard ?

Ses réactions aux relations sexuelles ne sont pas nettes. Ses sentiments à l'égard de Bernard ne le sont pas non plus. Il est difficile de préciser la vraie nature de son attitude envers Bernard. D'un côté elle reconnaît ses qualités de brave garçon. De l'autre elle trouve difficile, sinon impossible, de supporter sa présence physique. Elle semble pouvoir rester totalement lucide pendant leurs relations sexuelles analysant, avec une précision presque chirurgicale, les actes de Bernard. Elle les voit comme des gestes bestiaux mais, en même temps, elle ne semble ni juger Bernard, ni lui reprocher son comportement envers elle.

61

Chapitre V

1 Que dit Thérèse à Anne pour la persuader de partir ?

Les de la Trave, aidés par Thérèse, veulent persuader Anne de partir en voyage. On espère qu'un tel voyage changera ses idées et qu'elle oubliera Jean. Mais Anne refuse de partir, espérant revoir Jean. La stratégie de Thérèse consiste en trois parties. D'abord elle dit à son amie que Jean rentrera bientôt à Paris, puis elle assure Anne qu'elle parlera à Jean pendant l'absence de son amie et qu'elle lui rapportera ce qu'il dit et finalement elle essaie de convaincre son amie que le fils Deguilhem n'est pas si mal qu'Anne ne croit. Il est évident qu'Anne consent finalement à partir, non pas à cause des arguments de Thérèse, mais parce qu'elle ne veut pas voir le fils Deguilhem.

2 Est-il possible de justifier la conduite de Thérèse à l'égard d'Anne ?

Puisqu'il s'agit ici surtout des mobiles de Thérèse, il faudrait d'abord essayer de les éclaircir. Pourquoi ne veut-elle pas encourager la liaison entre Anne et Jean ? La réponse qu'elle donnerait elle-même, peut-être, serait qu'elle voudrait épargner à Anne des souffrances, sachant que l'affaire n'aboutira à rien. Dans ce cas on pourrait justifier ses actions. Mais alors on se rappelle ses réactions dans la chambre d'hôtel à Paris, lors de son voyage de noces à la nouvelle concernant les rencontres entre Anne et Jean. On voit donc qu'elle est motivée, au moins en partie, par la jalousie. Anne a peut-être trouvé un bonheur qui lui sera désormais inaccessible.

Chapitre VI

1 Faites le portrait de M. Larroque.

M. Larroque est homme politique, industriel et propriétaire. De tendances radicales, il est anticlérical et, sans doute, républicain. Il veut être considéré comme un démocrate mais Thérèse lui rappelle que lui, comme tous les Landais, est essentiellement propriétaire et donc capitaliste. Si ce ne sont pas déjà des propriétaires, ils veulent bien le devenir. Selon Thérèse, il est pudibond, et d'autres, dont Bernard, prétendent que sa vie est sans blâme. Il est plutôt misogyne. Il ne veut pas admettre que les femmes ont des qualités intellectuelles, sans exclure sa fille. Après « le drame » il la traite d'hystérique. A tout prendre, il est évident que sa fille l'admire plus que tout autre homme qu'elle connaît.

2 Les premières impressions de Thérèse concernant Jean Azévédo sont-elles favorables ou défavorables ? Justifiez votre réponse.

Il est possible que Thérèse tente de donner une description objective de Jean Azévédo. Elle nous transmet ses bons et ses mauvais côtés. Mais il est bientôt évident que ce jeune homme la fascine. La première section de cette partie du chapitre consiste en une description objective. Il y a, bien sûr, des détails plutôt répugnants, mais il y en a aussi ceux qui sont favorables. A mesure que leur entretien progresse Thérèse se trouve de plus en plus attirée par Jean. Elle est « éblouie ». Elle demeure « muette » devant lui. Il est à noter que, au cours de cette rencontre, Thérèse parle de sa propre voix, c'est-à-dire « entre guillemets ». Ce qu'elle dit alors représente ses propres émotions.

Chapitre VII

1 De quelle manière Thérèse est-elle affectée par ses rencontres avec Jean Azévédo ?

Elle a été profondément affectée par ses rencontres avec Jean Azévédo. Que ce soit lui ou quelqu'un d'autre, Thérèse attend quelqu'un qui va lui découvrir une vie au-delà du morne pays d'Argelouse. Jean lui révèle une vie de l'esprit, une vie où elle peut être elle-même et où elle peut être indépendante. Cette vie n'est pas un mirage. Elle la trouvera à Paris. Au lendemain du départ de Jean pour la capitale, Thérèse devient consciente de son isolement à Argelouse. Les rencontres avec Jean, qui se placent au milieu du roman, représentent un tournant dans le destin de Thérèse.

2 Décrivez l'état d'esprit d'Anne.

Elle est très fatiguée après une marche de 10 kilomètres pendant la nuit. Elle veut arriver à Argelouse sans que ses parents le sachent. Elle est furieuse. Elle accuse Thérèse de lui avoir menti et d'avoir agi pour ses parents et contre elle. Elle est égarée. Elle ne veut pas croire que Jean est parti. Elle insiste pour qu'elle aille à Vilméja. Se rendant compte que Jean n'est vraiment plus là elle devient inconsolable. Finalement elle semble reconnaître que sa quête est futile. Elle est à bout de forces.

Chapitre VIII

1 Relisez la section du texte de « La voici au moment de regarder en face l'acte qu'elle a commis ... » jusqu'à « Bernard se fit transporter à Argelouse, comptant bien être guéri pour la chasse à la palombe. » Puis faites un résumé des événements décrits.

Dans cette section il s'agit surtout de « l'acte » commis par Thérèse. D'abord elle n'a pas averti Bernard qu'il avait doublé sa dose du traitement. Puis elle n'a rien dit quand il a repris son médicament dès sa rentrée le même soir. Il est devenu très malade. Alors Thérèse a mis elle-même des gouttes du médicament dans le verre de Bernard pour savoir si c'était « cela qui le rendait malade. » Quand l'état de Bernard s'est aggravé, Mme de la Trave voulait faire venir un médecin consultant. L'état de Bernard a commencé à s'améliorer. Il s'est fait transporter à Argelouse pour ne pas manquer l'ouverture de la chasse à la palombe.

2 A votre avis pourquoi Thérèse s'intéresse-t-elle au curé ?

Elle s'intéresse au curé parce que Jean Azévédo lui en a parlé. Quand elle commence à l'observer, elle voit en lui une personne qui souffre et qui cache ses souffrances aux autres. Elle sent qu'il est isolé comme elle et qu'elle pourrait lui parler de son propre isolement.

Chapitre IX

1 Faites une liste des conditions imposées à Thérèse.

Elle quittera sa maison et elle habitera dans la maison Desqueyroux. Sa tante Clara n'habitera pas chez Bernard. Elle restera dans la maison Larroque. Thérèse prendra ses repas dans sa chambre. Il lui sera interdit d'aller dans les autres pièces de la maison. Elle accompagnera Bernard à la messe de minuit et à la foire de B le premier jeudi du mois. Marie partira

63

pour Saint-Clair avec sa bonne et puis Mme de la Trave l'amènera dans le Midi.

2 Expliquez pourquoi d'un côté, Bernard insiste pour que Thérèse garde sa chambre et de l'autre, qu'elle l'accompagne à la messe de dimanche.

Les conditions sévères imposées à Thérèse sont à la fois une forme de punition et un moyen de la forcer à se soumettre à la volonté de la famille dont elle a violé le code. Pourtant il faut montrer au monde que les deux époux sont unis et que l'honneur de la famille est sauvé. Donc jusqu'au mariage d'Anne, Thérèse doit se montrer aux côtés de son mari à toutes les cérémonies officielles.

Chapitre X

1 Quel rôle l'ordonnance falsifiée joue-t-elle dans l'intrigue?

Thérèse est hantée par le paquet de poisons. C'est la seule preuve de sa culpabilité. Dès le lendemain de son retour à Argelouse elle cherche le paquet dans sa vieille pèlerine. Il est toujours là. Elle sait maintenant que Bernard a menti en disant qu'il tenait de quoi l'inculper devant la justice. Elle décide de se suicider en employant le chloroforme qui fait partie de l'ordonnance. Elle est sur le point de le prendre mais doit cacher les poisons quand elle entend des pas s'approcher de sa porte.

2 La mort de tante Clara est-elle hasard, coïncidence ? Qu'en pensez-vous et pour quelles raisons ?

Pour ceux qui ne croient pas en l'intervention d'un Dieu dans les affaires des humains cette question n'est peut-être pas importante. Ce n'est qu'une coïncidence qu'on annonce la mort de Clara à Thérèse au moment où elle va se suicider. Mais Clara, l'anticléricale qui croit en Dieu sait que Thérèse est profondément troublée. La veille elle a voulu aller la surveiller mais Bernard a insisté pour qu'elle aille à sa chambre. Mais la mort de cette vieille fille sourde, jusqu'à la fin fidèle servante de Thérèse, est-elle la conséquence d'« une volonté particulière » ?

Chapitre XI

1 Décrivez, sous formes de notes, ce qu'imagine Thérèse concernant une vie à Paris.

Il faut tenir compte de la nature spéciale de l'état de Thérèse à ce moment de l'intrigue. Ses réflexions sont nécessairement influencées par cet état. Dans l'ensemble elle imagine une vie idéale. Ses rêves sont généralement de nature optimistes mais inaccessibles. Elle sera fêtée pour son charme et pour ses expériences. Elle trouvera un amour idéal. Surtout elle sera indépendante sans aucun lien familial. Elle pourra être elle-même. Elle sera émancipée.

2 Notez les détails concernant l'état de la chambre de Thérèse.

Elle ne se lève pas. Elle boit et mange très peu. Elle fume continuellement. Ses draps sont sales et brûlés par les cigarettes. La chambre est sale et en désordre.

Chapitre XII

1 Que pense Thérèse du fils Deguilhem ?

L'opinion de Thérèse n'est pas flatteuse. Sa description indique un homme sans aucun charme physique. Il paraît même grotesque. Selon Thérèse il n'excitera aucune passion. Il remplira ses fonctions de mari et Anne aura des enfants.

2 « Ce qu'il y a d'étonnant, c'est qu'ils n'ont pas du tout l'air de jouer la comédie. » Qu'est-ce qui indique que ce que dit le docteur Pédémay est vrai ?

Le docteur Pédémay est bien placé pour juger. En fait les rapports entre Thérèse et Bernard sont devenus moins contraints. Thérèse parle librement devant Bernard et lui, il s'intéresse à ce qu'elle dit. Tout a changé d'aspect pour Thérèse. Elle est pleine d'espoir pour l'avenir.

65

Chapitre XIII

1 Notez les réactions de Thérèse aux détails donnés par l'auteur sur la vie animée de Paris.

Thérèse est frappée par la foule de gens et par la grande circulation. Il y a pour elle des aspects exotiques comme l'odeur de cigarettes étrangères et le Marocain qui vend des tapis. Elle est aussi intimidée par la vie rapide et agitée. Elle pense à ses pins et au calme des landes. Pourtant elle est attirée par l'aisance dans les rapports entre les gens.

2 Comment la séparation affectera-t-elle
  i) Thérèse ?
  ii) Bernard ?

Tous les deux ont des regrets. Thérèse regrettera le pays qu'elle a connu pendant toute sa vie. Bernard regrettera la vie à deux bien qu'il dise qu'il acceptera son nouvel état de « vieux garçon ». Chez les deux époux il reste des vestiges d'affection.

Sujets de rédaction

1 Le paysage des landes figure beaucoup dans ce roman. Quelle en est l'importance dans la vie de Thérèse ?

Corrigé type sous forme de notes

Introduction

- source de sa prospérité
- scène de son adolescence
- scène de son isolement
- source de ses regrets

1ᵉʳ **paragraphe : source de sa prospérité**

(voir chapitre III surtout l'extrait « Elle avait toujours eu la prospérité dans le sang » jusqu'à à « cette domination ... »)

Comme tout propriétaire elle veut agrandir ses possessions. Donc au niveau matériel les landes ont pour Thérèse une très grande importance.

2ᵉ **paragraphe : scène de son adolescence**

(voir chapitre III surtout l'extrait « même au crépuscule, et lorsque déjà le soleil ne rougissait plus que le bas des pins ... » jusqu'à « ... cette jeune fille un peu hagarde. »

Au niveau émotionnel les landes ont pour Thérèse une importance profonde. La description indique bien sa connaissance intime de ce paysage et son importance dans son enfance et son adolescence.

3ᵉ **paragraphe : scène de son isolement**

(voir chapitre VIII surtout l'extrait : « Jusqu'à la fin de décembre... millions de barreaux mouvants. »)

La description des pins et de la pluie indiquent son isolement et son emprisonnement.

(voir chapitre XI : « Enfin la pluie sur les tuiles ... les dernières dunes mouvantes, sur l'océan. »)

Cette description reflète son isolement total.

4ᵉ **paragraphe : source de ses regrets**

(voir chapitre XIII : « Elle vit en esprit ... la menthe, la brume. »

Cette section indique ses regrets de quitter son pays.

Conclusion

Les landes ont décidément une grande importance dans la vie de Thérèse. Elles sont associées à ses moments de joie ainsi qu'à ses moments de souffrance. Quand elle les quitte elles ne cessent pas d'exercer une influence sur sa vie.

3 Avant de publier son roman Mauriac voulait l'intituler « L'esprit de famille ». Qu'est-ce qu'il y a dans le roman qui pourrait justifier ce titre ?

Rédaction proposée

Pour les Larroque et les Desqueyroux l'esprit de famille est très important. Mauriac voulait probablement employer cette expression dans un sens ironique. Car dans le cas d'Anne de la Trave la famille est invoquée pour lui imposer un mari qu'elle n'aime pas. Dans le cas de Thérèse la famille prend sur son compte sa punition. D'ailleurs dans les deux cas les familles sont motivées par des intérêts matériels.

Prenons d'abord le cas d'Anne de la Trave. Elle tombe amoureuse de Jean Azévédo mais Mme de la Trave et Bernard s'opposent à une telle liaison. Ils ont plus à gagner d'une alliance avec les Deguilhem. Malgré l'opinion d'Anne qu' « ... il a des lorgnons, il est chauve, c'est un vieux » (voir chapitre V), malgré ses souffrances, la famille insiste pour qu'elle oublie Jean. Après sa tentative futile de rejoindre Jean à Vilméja, Bernard la traite avec une brutalité extrême. Selon Thérèse « L'esprit de famille l'inspire ... Il sait toujours, en toute circonstance, ce qu'il convient de faire dans l'intérêt de la famille » (voir chapitre VII). Il est difficile de ne pas distinguer une ironie amère dans ses paroles. Ici l'esprit de famille est invoqué pour justifier une action tyrannique.

Considérons maintenant le cas de Thérèse. Elle a tenté d'empoisonner son mari. Devant le juge d'instruction Bernard déclare qu'il n'a pas compté les gouttes d'arsenic. Le juge a annoncé un non-lieu. Les deux familles décident de se charger elles-mêmes de Thérèse. Il s'agit de la punir et d'étouffer un scandale. Ce qui compte le plus pour les de la Trave et Bernard c'est de ne pas rater l'alliance avec la famille Deguilhem. Pour M. Larroque c'est sa carrière qui est en jeu. Après avoir annoncé à Thérèse les conditions qui lui sont imposées, Bernard les justifie en invoquant de nouveau la famille.

« ...vous obéirez aux décisions arrêtées en famille. »

« L'intérêt de la famille a toujours dicté toutes mes décisions. »

« Il importe, pour la famille, que le monde nous croie unis et qu'à ses yeux je n'aie pas l'air de mettre en doute votre innocence. » (voir le chapitre IX).

Comme dans le cas d'Anne la famille exerce un pouvoir tyrannique sur Thérèse.

67

A en juger par ses deux cas il est évident que l'esprit de famille est un principe qui domine la vie des personnages principaux du roman. Pourtant Mauriac a choisi comme titre définitif le nom de celle qui comprend la vraie nature de ce principe. Elle en expose l'hypocrisie et le cynisme. Elle lutte contre son pouvoir tyrannique, devient sa victime mais arrive finalement à s'en libérer.

Testez votre mémoire

A 1 Argelouse
   2 couvent
   3 lycée
   4 droit
   5 Bernard
   6 demoiselles d'honneur
   7 Jean Azévédo
   8 palombe
   9 chloroforme, aconite, digitaline
  10 Balion, Balionte
B 1 M. Larroque
   2 Thérèse
   3 Thérèse
   4 Bernard
   5 Anne de la Trave
   6 Jean Azévédo
   7 Marie, la fille de Thérèse
   8 le fils Deguilhem
C 1 ... est sortie du palais de justice
   2 ... a percé de l'épingle la photographie à l'endroit du cœur de Jean Azévédo
   3 ... a traîné Anne à une chambre et l'a renfermée en verrouillant la porte
   4 ... s'est tue/n'a rien dit
   5 ... est entrée pour annoncer la mort de tante Clara

D3 – vocab 5b

G7 – Schéma : Approuvez-vous la création
de l'euro?